中國美術全集

漆器家具二

全國百佳圖书出版單位

ARTTIME 時代出版

時代出版傳媒股份有限公司

黄山書社

目　録

遼北宋金南宋 (公元九一六年至公元一二七九年)

頁碼	名稱	時代	出土發現地	收藏地
255	戧金庭園仕女圖蓮瓣形奩	南宋	江蘇常州市武進區村前鄉南宋5號墓	江蘇省常州博物館
256	花瓣形奩	南宋	江蘇常州市武進區成章南宋墓	江蘇省常州博物館
256	剔犀八角形奩	南宋	福建福州市茶園山南宋墓	福建省福州市博物館
257	剔犀菱花形奩	南宋	福建福州市茶園山南宋墓	福建省福州市博物館
257	瓶	南宋	江蘇宜興市和橋宋墓	南京博物院
258	托盞	南宋	江蘇常州市武進區村前鄉南宋墓	江蘇省常州博物館
258	花瓣形盤	南宋	江蘇常州市麗華新村工地	江蘇省常州博物館
259	剔黑嬰戲圖盤	南宋		日本文化廳
259	堆朱後赤壁賦圖盆	南宋		日本東京私人處
260	唾壺	南宋	江蘇常州市武進區蔣塘宋墓	江蘇省常州博物館
260	剔犀長方形黄地鏡箱	南宋	江蘇常州市武進區村前鄉南宋墓	江蘇省常州博物館
261	漆柄團扇	南宋	江蘇金壇市茅山東麓南宋周瑀墓	江蘇省鎮江博物館
261	剔犀脱胎柄團扇	南宋	江蘇金壇市茅山東麓南宋周瑀墓	江蘇省鎮江博物館

元 (公元一二七一年至公元一三六八年)

頁碼	名稱	時代	出土發現地	收藏地
262	碗	元	江蘇江陰市申港鎮張家店元墓	江蘇省江陰市博物館
262	碗	元	江蘇常州市武進區卜弋鄉孫家村元墓	江蘇省武進市博物館
263	剔紅花卉尊	元		故宫博物院
264	蓮瓣形奩	元	江蘇無錫市元代錢裕墓	江蘇省無錫市博物館
264	蓮瓣形奩	元	上海青浦區元代任氏墓	上海博物館
265	剔紅東籬采菊圖圓盒	元	上海青浦區元代任氏墓	上海博物館
265	剔紅曳杖觀瀑圖圓盒	元		中國國家博物館
266	剔紅賞花圖圓盒	元		故宫博物院
266	剔紅瑶池集慶圖圓盒	元		日本東京國立博物館

頁碼	名稱	時代	出土發現地	收藏地
267	剔紅花鳥紋圓盒	元		香港藝術館
267	剔紅牡丹綬帶紋圓盒	元		故宮博物院
268	剔犀如意紋圓盒	元		安徽省博物館
268	嵌螺鈿樓閣人物圖捧盒	元		日本東京出光美術館
269	嵌螺鈿山水樓閣圖圓盒	元		日本東京國立博物館
270	嵌螺鈿八仙祝壽八方盒	元		日本私人處
271	“内府官物”盤	元	北京延慶縣清泉鋪鄉元代窖藏	北京市文物研究所
271	盤	元	江蘇江陰市申港鎮張家店元墓	江蘇省江陰市博物館
272	剔犀圓盤	元		故宮博物院
272	剔紅水仙紋圓盤	元		故宮博物院
273	剔紅茶花綬帶紋圓盤	元		故宮博物院
273	剔紅梔子花紋圓盤	元		故宮博物院
274	剔紅梅花紋圓盤	元		北京藝術博物館
274	剔紅蓮池水鳥圖圓盤	元		日本私人處
275	剔紅觀瀑圖八方盤	元		故宮博物院
275	剔黑花鳥圖瓣式盤	元		英國倫敦大英博物館
276	嵌螺鈿龍紋菱花盤	元		日本東京國立博物館
277	嵌螺鈿廣寒宮圖黑漆盤殘片	元	北京西城區後英房元大都遺址	首都博物館

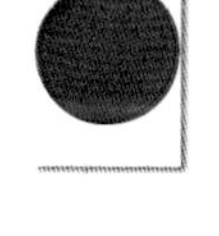

明 (公元一三六八年至公元一六四四年)

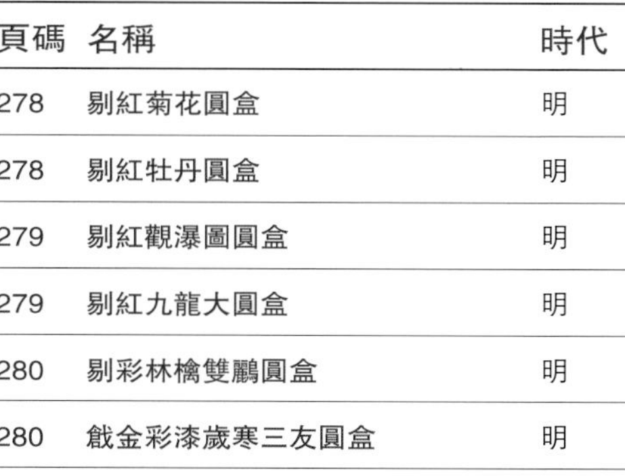

頁碼	名稱	時代	出土發現地	收藏地
278	剔紅菊花圓盒	明		故宮博物院
278	剔紅牡丹圓盒	明		遼寧省旅順博物館
279	剔紅觀瀑圖圓盒	明		故宮博物院
279	剔紅九龍大圓盒	明		故宮博物院
280	剔彩林檎雙鸝圓盒	明		故宮博物院
280	戧金彩漆歲寒三友圓盒	明		日本東京國立博物館
281	剔紅福禄壽歲寒三友紋盒	明		故宮博物院
281	剔紅雲龍紋圓盒	明		故宮博物院
282	剔彩龍鳳紋圓盒	明		故宮博物院
282	剔彩龍捧寶盆壽字圓盒	明		故宮博物院

頁碼	名稱	時代	出土發現地	收藏地
283	剔彩龍紋圓盒	明		故宮博物院
284	戧金彩漆寶盆紋圓盒	明		中國國家博物館
285	剔彩雲龍紋圓盒	明		故宮博物院
285	彩繪描金人物山水紋圓盒	明		故宮博物院
286	剔紅樓閣人物圓盒	明		故宮博物院
286	剔紅賞蓮圖圓盒	明		故宮博物院
287	剔紅攜琴訪友圖圓盒	明		故宮博物院
287	剔紅觀泉圖圓盒	明		故宮博物院
288	剔紅秋林人物圖圓盒	明		故宮博物院
288	剔紅揖拜圖圓盒	明		故宮博物院
289	剔紅飛龍紋圓盒	明		故宮博物院
290	剔紅桂花紋小圓盒	明		故宮博物院
290	剔紅荔枝紋小圓盒	明		故宮博物院
291	剔犀如意紋小圓盒	明		上海博物館
291	剔紅荔枝紋小圓盒	明		故宮博物院
292	剔紅狩獵圖小圓盒	明		故宮博物院
292	剔彩菊花紋小圓盒	明		故宮博物院
293	剔紅花卉紋小圓盒	明		故宮博物院
293	填漆梵文纏枝蓮紋小圓盒	明		故宮博物院
294	嵌螺鈿池塘水鳥圖圓盒	明		日本東京國立博物館
295	剔黑牡丹紋圓盒	明		故宮博物院
295	剔赭雙螭花卉紋棋子盒	明		故宮博物院
296	戧金彩漆雲龍梅花式盒	明		故宮博物院
296	剔紅八仙祝壽葵瓣式盒	明		故宮博物院
297	嵌螺鈿樓閣人物圖八方盒	明		日本大阪市立美術館
297	描彩漆嵌螺鈿八方盒	明		安徽省博物館
298	朱漆戧金雲龍紋長方形盒	明	山東鄒城市明魯王朱檀墓	山東省博物館
298	剔紅雲龍紋長方形盒	明		故宮博物院
299	剔紅雙龍長方盒	明		故宮博物院
299	剔彩雙龍紋長方盒	明		故宮博物院
300	戧金彩漆雲龍荷塘圖長方盒	明		河北省博物館
300	雙龍紋長方盒	明		故宮博物院
301	剔紅嬰戲圖長方盒	明		故宮博物院
301	剔紅花鳥紋長方盒	明		中國國家博物館

頁碼	名稱	時代	出土發現地	收藏地
302	雙鳳長方盒	明		故宮博物院
302	“江千里式”嵌螺鈿雲龍紋長方盒	明		故宮博物院
303	描彩漆携琴會友圖長方盒	明		安徽省博物館
303	朱漆描金山水長方盒	明		故宮博物院
304	剔紅萬壽紋長方盒	明		日本東京國立博物館
304	剔紅人物花鳥紋長方提盒	明		故宮博物院
305	剔紅花鳥紋提盒	明		故宮博物院
305	戧金彩漆龍鳳方勝式盒	明		故宮博物院
306	戧金彩漆龍鳳銀錠式盒	明		故宮博物院
306	朱漆戧金雲龍紋盝頂箱	明	山東鄒城市明魯王朱檀墓	山東省博物館
307	雕填二龍戲珠紋漆箱	明		故宮博物院
307	戧金細鈎填漆龍紋箱	明		故宮博物院
308	剔紅纏枝蓮圓盤	明		故宮博物院
308	剔紅孔雀牡丹紋盤	明		故宮博物院
309	剔紅樓閣人物圖圓盤	明		英國倫敦大英博物館
309	剔紅茶花紋盤	明		故宮博物院
310	剔紅花鳥圓盤	明		山東省博物館
310	剔紅福禄壽三桃圓盤	明		故宮博物院
311	攢犀地雕填松鶴紋圓盤	明		故宮博物院
311	剔彩貨郎圖圓盤	明		故宮博物院
312	剔彩龍紋圓盤	明		故宮博物院
312	剔黃雲龍紋圓盤	明		日本京都泉屋博古館
313	剔紅歲寒三友圖圓盤	明		中國國家博物館
313	剔紅荔枝綬帶鳥圖圓盤	明		故宮博物院
314	嵌螺鈿西厢記圖圓盤	明		南京博物院
314	剔紅五老圖蓮瓣式盤	明		天津博物館
315	剔黑花鳥葵瓣式盤	明		山東省博物館
315	剔犀如意紋葵瓣式盤	明		南京博物院
316	剔紅宴飲圖蓮瓣式盤	明		故宮博物院
316	剔紅祝壽圖蓮瓣式盤	明		日本東京東方漆藝研究所
317	雕填龍鳳紋菊瓣式盤	明		故宮博物院
317	剔紅龍鳳葵瓣式盤	明		故宮博物院
318	剔黑花鳥葵瓣式盤	明		日本東京國立博物館
318	剔犀如意紋葵瓣式盤	明		日本京都國立博物館

頁碼	名稱	時代	出土發現地	收藏地
319	填彩漆夔鳳紋葵瓣式盤	明		中國國家博物館
319	剔紅對弈圖橢圓盤	明		日本東京東方漆藝研究所
320	剔紅雙螭紋橢圓盤	明		故宮博物院
320	剔紅錦紋橢圓盤	明		北京藝術博物館
321	剔彩龍舟圖荷葉式橢圓盤	明		故宮博物院
321	剔紅玉蘭翠鳥圖方盤	明		故宮博物院
322	剔紅山水人物方盤	明		故宮博物院
322	剔紅開光山水人物圖方盤	明		故宮博物院
323	剔紅五老圖方盤	明		故宮博物院
323	剔紅福字紋方盤	明		故宮博物院
324	剔紅文會圖方盤	明		故宮博物院
324	剔犀如意雲紋方盤	明		安徽省博物館
325	剔紅百花圖長方盤	明		故宮博物院
325	剔紅采藥圖長方盤	明		故宮博物院
326	剔紅竹林七賢長方盤	明		故宮博物院
327	剔彩歲寒三友六方盤	明		日本東京國立博物館
327	剔彩龍鳳八方盆	明		故宮博物院
328	剔紅穿花龍紋雙耳瓶	明		故宮博物院
328	剔黑花鳥紋梅瓶	明		故宮博物院
329	剔紅牡丹紋尊	明		故宮博物院
329	剔紅花卉蓋碗	明		故宮博物院
330	剔犀雲紋小碗	明		故宮博物院
330	剔紅飛龍紋高足碗	明		故宮博物院
331	剔紅花卉盞托	明		日本大阪市立美術館
331	剔紅花卉盞托	明		故宮博物院
332	剔紅雲龍紋盞托	明		日本東京東方漆藝研究所
332	剔犀雲紋執壺	明		日本東京東方漆藝研究所
333	剔犀雲紋葫蘆式執壺	明		故宮博物院
333	嵌螺鈿花鳥紋執壺	明		中國國家博物館
334	剔紅龍鳳紋瓜棱式壺	明		故宮博物院
334	剔紅山水人物紋壺	明		故宮博物院
335	剔紅歲寒三友筆	明		日本東京國立博物館
335	剔犀雲紋筆	明		故宮博物院
336	百寶嵌花卉方筆筒	明		故宮博物院

頁碼	名稱	時代	出土發現地	收藏地
336	剔紅梅花筆筒	明		故宫博物院
337	纏枝蓮紋嵌螺鈿洗	明		故宫博物院
337	紅漆戧金八寶紋經文挾板	明		日本東京東方漆藝研究所
338	剔彩開光雙鳳小櫃	明		日本東京東方漆藝研究所
339	嵌螺鈿贈馬圖長方几面	明		日本東京東方漆藝研究所
339	黑漆描金樓閣人物屏風	明		日本大阪市立美術館
340	剔紅樓閣人物座屏	明		日本東京東方漆藝研究所

清 (公元一六四四年至公元一九一一年)

頁碼	名稱	時代	出土發現地	收藏地
341	金漆花卉紋圓盒	清		故宫博物院
341	剔紅海獸紋圓盒	清		故宫博物院
342	剔紅雲龍紋圓盒	清		遼寧省旅順博物館
342	剔紅嬰戲圖圓盒	清		故宫博物院
343	戧金彩漆吉祥圓盒	清		故宫博物院
343	描金彩漆喜相逢圓盒	清		故宫博物院
344	描彩漆雙龍戲珠紋圓盒	清		南京博物院
344	識文描金銀福壽紋圓盒	清		故宫博物院
345	描金彩漆壽字圓盒	清		故宫博物院
345	描金彩漆折枝花圓盒	清		故宫博物院
346	嵌螺鈿團花圓盒	清		故宫博物院
346	填漆花卉紋圓盒	清		故宫博物院
347	描油蝶紋圓盒	清		故宫博物院
347	山水八仙圖圓盒	清		中國國家博物館
348	戧金彩漆龍鳳紋圓盒	清		故宫博物院
348	黑漆描金祝壽圖攢盒	清		故宫博物院
349	黑漆描金雲龍紋圓盒	清		故宫博物院
349	剔紅海水游龍紋圓盒	清		故宫博物院
350	剔紅山水人物圖瓣式盒	清		南京博物院
350	春字壽星蓮瓣形盒	清		故宫博物院
351	戧金彩漆雙鳳紋菱花盒	清		故宫博物院

頁碼	名稱	時代	出土發現地	收藏地
351	戧金彩漆雲龍紋菊瓣式盒	清		故宫博物院
352	填漆戧金雲龍紋菊瓣式盒	清		遼寧省旅順博物館
352	描漆花卉紋葵瓣式盒	清		故宫博物院
353	犀皮漆葵瓣形盒	清		故宫博物院
353	描金番蓮團花紋葵花攢盒	清		遼寧省旅順博物館
354	嵌螺鈿嬰戲如意雲式二層盒	清		故宫博物院
355	脱胎朱漆菊瓣式盒	清		遼寧省旅順博物館
355	描彩漆嵌玉六瓣盒	清		故宫博物院
356	識文描金海棠形攢盒	清		故宫博物院
356	描金彩漆花鳥紋六瓣攢盒	清		故宫博物院
357	識文描金花蝶紋八方盒	清		故宫博物院
357	填彩漆錦紋八角三層盒	清		故宫博物院
358	剔紅十二辰盒	清		天津博物館
358	嵌螺鈿描彩漆十六角攢盒	清		故宫博物院
359	剔犀如意雲紋方盒	清		故宫博物院
359	識文描金暗八仙方盒	清		天津博物館
360	描油錦紋委角方盒	清		故宫博物院
360	嵌螺鈿葵花形盒	清		故宫博物院
361	百寶嵌雙蝶漆方盒	清		故宫博物院
361	彩繪描金花果紋包袱長方形漆盒	清		故宫博物院
362	戧金彩漆雲鶴紋長方盒	清		故宫博物院
362	戧金彩漆鶴鹿長方盒	清		故宫博物院
363	紫漆描金花卉長方盒	清		故宫博物院
363	剔彩錦紋長方盒	清		故宫博物院
364	金漆木雕人物花鳥紋八寶匣	清		廣東省博物館
364	描金彩漆花鳥紋長方盒	清		故宫博物院
365	戧金彩漆花籃圖銀錠式盒	清		故宫博物院
365	描金避暑山莊百韵册頁盒	清		故宫博物院
366	剔紅秋蟲楓葉式盒	清		故宫博物院
366	識文描金瓜形盒	清		故宫博物院
367	描金桃式盒	清		故宫博物院
367	剔紅八仙慶壽磬式盒	清		故宫博物院
368	剔紅錦紋書式盒	清		天津博物館
368	嵌骨山水人物紋長方匣	清		故宫博物院

頁碼	名稱	時代	出土發現地	收藏地
369	黑漆描金花卉提匣	清		故宮博物院
369	描金松石藤蘿紋圓盤	清		故宮博物院
370	描金雲山樓閣圓盤	清		上海博物館
371	描金雲龍圓盤	清		故宮博物院
371	描金彩漆宴樂圖圓盤	清		南京博物院
372	罩金漆花卉詩句盤	清		故宮博物院
372	嵌螺鈿人物圓盤	清		故宮博物院
373	描金彩漆佛日常明盤	清		故宮博物院
373	朱漆菊瓣式盤	清		故宮博物院
374	描金彩漆四喜蓮瓣式盤	清		故宮博物院
374	黑漆描金花卉菊瓣盤	清		故宮博物院
375	嵌螺鈿渡河圖葵瓣式盤	清		故宮博物院
375	描漆蓮紋瓣式盤	清		故宮博物院
376	填彩漆荷葉式盤	清		故宮博物院
376	罩漆山水人物長方盤	清		故宮博物院
377	戧金彩漆雙鳳長方盤	清		故宮博物院
378	剔犀長方盤	清		遼寧省旅順博物館
378	描彩漆雲龍雙圓盤	清		故宮博物院
379	描金花蝶紋斑竹欄橢圓盤	清		故宮博物院
379	黑漆描金開光山水雙方勝式盤	清		故宮博物院
380	戧金彩漆壽春束腰盤	清		故宮博物院
380	脱胎漆桃盤	清		上海博物館
381	描彩漆花鳥紋圭形盤	清		故宮博物院
381	剔紅山水人物紋瓶	清		廣東省博物館
382	剔紅開光山水人物蒜頭瓶	清		天津博物館
382	黃漆墨彩秋山晚景梅瓶	清		故宮博物院
383	描金彩漆花卉壁瓶	清		故宮博物院
383	描金彩漆鳳牡丹長頸瓶	清		故宮博物院
384	黃漆佛手式花插	清		故宮博物院
384	彩漆荷葉式瓶	清		福建博物院
385	黃漆竹節式瓶	清		福建博物院
385	填漆蕉葉饕餮紋瓶	清		故宮博物院
386	描油勾蓮花出戟觚	清		故宮博物院
386	剔彩開光群鹿圖尊	清		天津博物館

頁碼	名稱	時代	出土發現地	收藏地
387	描金彩漆花卉背壺	清		故宮博物院
387	紫漆描金花卉多穆壺	清		故宮博物院
388	識文描金菊花紋執壺	清		故宮博物院
388	朱漆描金鳳紋碗	清		故宮博物院
389	描金三鳳牡丹紋漆碗	清		故宮博物院
389	朱漆菊瓣式蓋碗	清		故宮博物院
390	填彩漆雲龍紋碗	清		故宮博物院
390	嵌螺鈿仕女圖碗	清		故宮博物院
391	黑漆識文描金八仙人物碗	清		故宮博物院
391	填彩漆雲龍紋碗	清		故宮博物院
392	描金彩漆松鶴紋杯	清		故宮博物院
392	填漆戧金唾盂	清		遼寧省旅順博物館
393	黑漆描金山水樓閣圖手爐	清		故宮博物院
393	朱漆描金嵌玉如意	清		故宮博物院
394	金漆牡丹如意	清		廣東省博物館
394	嵌竹人物方筆筒	清		故宮博物院
395	描金彩漆花鳥如意形筆筒	清		故宮博物院
395	剔紅山水人物鼻烟壺	清		天津博物館
396	百寶嵌花蝶鼓式漆几面	清		故宮博物院
396	嵌螺鈿花蝶小几	清		故宮博物院
397	雕漆山水人物插屏	清		故宮博物院
398	黑漆描金冠架	清		故宮博物院
398	款彩漆冠架	清		山東省泰安市博物館
399	描金漆畫人物花鳥小神龕	清		廣東省博物館
400	金漆鏤雕座屏	清		故宮博物院

家　具

新石器時代至西晋（公元前八〇〇〇年至公元三一六年）

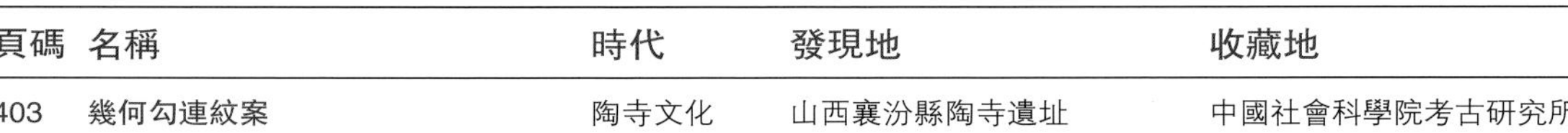

頁碼	名稱	時代	發現地	收藏地
403	幾何勾連紋案	陶寺文化	山西襄汾縣陶寺遺址	中國社會科學院考古研究所

頁碼	名稱	時代	發現地	收藏地
403	禽獸紋俎	春秋	湖北當陽市趙巷4號墓	湖北省宜昌博物館
404	虺紋俎	春秋	山東海陽市嘴子前4號墓	山東省海陽市博物館
404	雲紋几	戰國	湖北隨州市曾侯乙墓	湖北省博物館
405	三角雲雷紋俎	戰國	河南信陽市長臺關1號墓	河南省文物考古研究所
405	雲紋案	戰國	湖南長沙市驪順巷1號墓	湖南省長沙市文物工作隊
406	三角雲雷紋案	戰國	湖南湘鄉市牛形山楚墓	湖南省博物館
406	龍紋几	西漢	湖南長沙市馬王堆3號墓	湖南省博物館
407	雲氣紋几	西漢	湖南長沙市望城坡古墳垸漢墓	湖南省長沙市文物考古研究所
407	回形紋案	西漢	江蘇揚州市邗江區楊廟鄉燕莊漢墓	江蘇省揚州市邗江區文物管理委員會
408	几何紋案	西漢	江蘇揚州市西湖鄉胡場1號漢墓	江蘇省揚州博物館
408	三足凳	西漢	江蘇揚州市邗江區甘泉鄉姚灣村秦莊漢墓	江蘇省揚州市邗江區文物管理委員會
409	憑几	三國・吴	安徽馬鞍山市三國吴朱然墓	安徽省馬鞍山市博物館
409	四足橢圓形几	魏晋	新疆尉犁縣營盤31號墓	新疆文物考古研究所

遼至元（公元九一六年至公元一三六八年）

頁碼	名稱	時代	發現地	收藏地
410	四出頭椅	遼	北京房山區天開塔地宫	首都博物館
410	靠背椅	遼	河北張家口市宣化區下八里遼張文藻墓	河北省文物研究所
411	條桌	遼	北京房山區天開塔地宫	首都博物館
411	盆架	遼	河北張家口市宣化區下八里遼張文藻墓	河北省文物研究所
412	几	北宋	江蘇淮安市楊廟鎮宋墓	南京博物院
412	條桌	西夏	甘肅武威市西部林場西夏2號墓	甘肅省博物館
413	衣架	西夏	甘肅武威市西部林場西夏2號墓	甘肅省博物館
413	靠背椅	金	北京金代墓葬	北京遼金城垣博物館
414	酒桌	金	北京金代墓葬	北京遼金城垣博物館
414	長方形桌	南宋	江蘇常州市武進區村前鄉南宋墓	江蘇省常州博物館
415	靠背椅	南宋	江蘇常州市武進區村前鄉南宋墓	江蘇省常州博物館
415	剔紅龍紋圖條案	元	甘肅漳縣元代汪世顯家族墓葬	甘肅省漳縣文化館

明（公元一三六八年至公元一六四四年）

頁碼	名稱	時代	發現地	收藏地
416	黃花梨無束腰長方凳	明		上海博物館
416	黃花梨無束腰羅鍋棖加卡子花方凳	明		清華大學美術學院
417	黃花梨有束腰羅鍋棖長方凳	明		清華大學美術學院
417	黃花梨有束腰十字棖長方凳	明		私人處
418	黃花梨有束腰三彎腿霸王棖方凳	明		上海博物館
418	紫檀有束腰鼓腿彭牙方凳	明		故宮博物院
419	黃花梨八足圓凳	明		北京市龍順成中式家具廠
419	紫檀四開光坐墩	明		河北省承德市避暑山莊博物館
420	黃花梨有束腰羅鍋棖二人凳	明		北京市木材廠
420	戧金細鈎填漆春凳	明		故宮博物院
421	黃花梨有踏床交杌	明		私人處
421	黃花梨交杌	明		故宮博物院
422	黃花梨大燈挂椅	明		私人處
422	黃花梨透雕螭紋玫瑰椅	明		清華大學美術學院
423	黃花梨玫瑰椅	明		清華大學美術學院
423	黃花梨四出頭官帽椅	明		私人處
424	黃花梨高扶手南官帽椅	明		北京市頤和園管理處
425	鐵力木四出頭官帽椅	明		私人處
425	黃花梨高靠背南官帽椅	明		私人處
426	紫檀扇面形南官帽椅	明		上海博物館
426	黃花梨矮靠背南官帽椅	明		清華大學美術學院
427	黃花梨六方形南官帽椅	明		故宮博物院
427	黃花梨浮雕螭紋圈椅	明		故宮博物院
428	黃花梨透雕靠背圈椅	明		上海博物館
429	黃花梨圓後背交椅	明		故宮博物院
429	黃花梨圓後背交椅	明		上海博物館
430	紫檀有束腰帶托泥寶座	明		故宮博物院
431	黃花梨嵌楠木寶座	明		河北省承德市避暑山莊博物館
431	剔紅文會圖小几	明		故宮博物院

頁碼	名稱	時代	發現地	收藏地
432	黃花梨有束腰齊牙條炕桌	明		上海博物館
432	黃花梨有束腰鼓腿彭牙炕桌	明		故宮博物院
433	黃花梨有束腰炕桌	明		故宮博物院
433	剔紅花卉長方几	明		故宮博物院
434	黃花梨有束腰三彎腿炕桌	明		私人處
435	剔犀雲紋几	明		山西博物院
435	描漆人物菱花几	明		遼寧省旅順博物館
436	黃花梨三足香几	明		上海博物館
436	黃花梨四足八方香几	明		上海博物館
437	鐵力高束腰五足香几	明		私人處
437	黃花梨高束腰六足香几	明		故宮博物院
438	黃花梨有束腰噴面大方桌	明		私人處
438	黃花梨一腿三牙羅鍋棖加卡子花方桌	明		上海博物館
439	紫檀噴面式方桌	明		故宮博物院
439	黃花梨一腿三牙高羅鍋棖小方桌	明		上海博物館
440	朱漆戧金細鈎填漆龍紋酒桌	明		故宮博物院
440	黃花梨夾頭榫酒桌	明		私人處
441	黃花梨插肩榫酒桌	明		北京市龍順成中式家具廠
441	黃花梨霸王棖條桌	明		私人處
442	黃花梨無束腰羅鍋棖條桌	明		北京市龍順成中式家具廠
442	黃花梨有束腰矮桌展腿式半桌	明		上海博物館
443	鐵力板足開光條几	明		私人處
443	紫檀四面平式加浮雕畫桌	明		浙江省博物館
444	紫檀有束腰几形畫桌	明		故宮博物院
445	鐵力木四屜桌	明		故宮博物院
445	黃花梨兩捲角牙琴桌	明		私人處
446	楠木嵌黃花梨有束腰加霸王棖供桌	明		北京市法源寺
446	黃花梨插肩榫翹頭案	明		上海博物館
447	黃花梨攢牙子着地管脚棖平頭案	明		私人處
447	黑漆嵌螺鈿雲龍戲珠紋平頭案	明		故宮博物院
448	黑漆嵌螺鈿彩繪雲龍紋平頭案	明		故宮博物院
448	黃花梨夾頭榫大平頭案	明		私人處
449	紫檀木大畫案	明		私人處
449	黃花梨夾頭榫畫案	明		故宮博物院

頁碼	名稱	時代	發現地	收藏地
450	紫檀木畫案	明		故宫博物院
450	黄花梨夾頭榫畫案	明		上海博物館
451	黄花梨架几式書案	明		北京市文物商店
451	鷄翅撇腿翹頭炕案	明		私人處
452	鐵力床身紫檀圍子三屏風羅漢床	明		上海博物館
452	紫檀三屏風獨板圍子羅漢床	明		私人處
453	黄花梨十字連方圍子羅漢床	明		故宫博物院
453	嵌螺鈿花鳥紋羅漢床	明		故宫博物院
454	黄花梨帶門圍子架子床	明		故宫博物院
455	黄花梨帶門圍子架子床	明		上海博物館
456	黄花梨月洞式門罩架子床	明		故宫博物院
457	黄花梨品字欄杆架格	明		上海博物館
458	黄花梨十字欄杆架格	明		故宫博物院
458	黄花梨透空後背架格	明		私人處
459	紫檀三面攢接欞格架格	明		故宫博物院
459	紫檀直欞架格	明		私人處
460	黄花梨變體圓角櫃	明		上海博物館
460	黄花梨萬曆櫃	明		北京市文物商店
461	鐵力五抹門圓角櫃	明		北京市文物局
461	黄花梨雙層亮格櫃	明		故宫博物院
462	黑漆嵌螺鈿彩石百子櫃	明		故宫博物院
463	黑漆描金龍紋藥櫃	明		中國國家博物館
464	黄花梨提盒	明		上海博物館
464	黄花梨小箱	明		私人處
465	黄花梨折叠式鏡臺	明		上海博物館
465	鷄翅都承盤	明		上海博物館
466	黄花梨寶座式鏡臺	明		上海博物館
466	黄花梨五屏風式龍鳳紋鏡臺	明		故宫博物院
467	黄花梨鳳紋衣架	明		上海博物館
467	黄花梨衣架中牌子殘件	明		上海博物館
468	黄花梨六足折叠式矮面盆架	明		私人處
468	黄花梨高面盆架	明		上海博物館
469	鐵力悶户橱	明		私人處
469	黄花梨螭紋聯二橱	明		私人處

頁碼	名稱	時代	發現地	收藏地
470	黃花梨官皮箱	明		北京市龍順成中式家具廠
470	黃花梨方角櫃式藥箱	明		北京市龍順成中式家具廠
471	黃花梨插屏式座屏風	明		故宮博物院

清（公元一六四四年至公元一九一一年）

頁碼	名稱	時代	發現地	收藏地
472	紫檀無束腰管脚棖方凳	清		上海博物館
472	紫檀四面平馬蹄足羅鍋棖大長方凳	清		首都博物館
473	紫檀有束腰管脚棖方凳	清		故宮博物院
473	紫檀帶束腰有托泥番蓮紋方凳	清		北京市文物商店
474	紫檀有束腰長方凳	清		故宮博物院
475	紫檀五開光坐墩	清		故宮博物院
475	紫檀四開光番草紋坐墩	清		河北省承德市避暑山莊博物館
476	紫檀直欞式坐墩	清		北京市龍順成中式家具廠
476	紫檀有束腰五足嵌玉圓凳	清		故宮博物院
477	紫檀有束腰梅花式凳	清		故宮博物院
477	櫸木夾頭榫小條凳	清		私人處
478	柞木無束腰羅鍋棖加矮老二人凳	清		天津博物館
478	黃花梨上折式交杌	清		天津博物館
479	紫檀木梳背式扶手椅	清		故宮博物院
479	紫檀木嵌瓷靠背扶手椅	清		故宮博物院
480	紫檀雙魚紋扶手椅	清		河北省承德市避暑山莊博物館
480	紫檀七屏風式扶手椅	清		故宮博物院
481	紫檀浮雕番蓮雲頭搭腦扶手椅	清		北京市文物商店
481	紅木圓光靠背扶手椅	清		北京市龍順成中式家具廠
482	黑漆嵌螺鈿山水紋扶手椅	清		故宮博物院
482	漆五屏式山水扶手椅	清		北京市北海公園静心齋
483	紫檀“海山仙館”銘扶手椅	清		廣東省博物館
483	紫檀扇面形座面南官帽椅	清		美國中國古典家具博物館
484	紅木南官帽椅	清		首都博物館
484	黑漆嵌螺鈿圈椅	清		故宮博物院

頁碼	名稱	時代	發現地	收藏地
485	紫檀有束腰帶托泥圈椅	清		故宮博物院
485	黃花梨仿竹製玫瑰椅	清		美國中國古典家具博物館
486	鹿角椅	清		故宮博物院
486	黃花梨直後背交椅	清		故宮博物院
487	黑漆金龍紋背交椅	清		故宮博物院
487	黃花梨躺椅	清		香港嘉木堂
488	紫檀大寶座	清		首都博物館
489	紫檀七屏式大寶座床	清		北京市頤和園管理處
489	紫檀嵌螺鈿雲龍紋寶座	清		故宮博物院
490	紫檀有束腰帶托泥鑲琺琅寶座	清		北京市頤和園管理處
490	紫檀嵌剔紅靠背寶座	清		故宮博物院
491	黑漆描金有束腰帶托泥大寶座	清		北京市頤和園管理處
491	黃花梨嵌鷄翅木象牙山水屏風寶座	清		故宮博物院
492	紫檀嵌玉小寶座	清		河北省承德市避暑山莊博物館
492	紫檀有束腰鼓腿彭牙炕桌	清		故宮博物院
493	黃花梨有束腰鏤空牙條炕桌	清		故宮博物院
493	黃花梨有束腰折叠式炕桌	清		故宮博物院
494	紅木鑲大理石面高低炕桌	清		首都博物館
494	戧金雲龍紋炕桌	清		故宮博物院
495	描金彩漆海屋添籌宴炕桌	清		故宮博物院
495	紫檀有束腰銅包角炕桌	清		故宮博物院
496	黃花梨嵌螺鈿炕桌	清		故宮博物院
496	黃花梨無束腰折叠式炕桌	清		故宮博物院
497	黃花梨螭紋長方几	清		故宮博物院
497	剔犀雲紋長方几	清		瀋陽故宮博物院
498	剔犀雲紋長方几	清		瀋陽故宮博物院
498	描彩漆牡丹紋長方几	清		故宮博物院
499	填彩漆花卉紋几	清		故宮博物院
499	黑漆描金海棠式几	清		故宮博物院
500	硬木弧形憑几	清		北京私人處
500	填彩漆雲龍雙環式香几	清		故宮博物院
501	緗色地戧金細鈎填漆龍紋梅花式香几	清		故宮博物院
501	楠木包鑲竹絲香几	清		故宮博物院
502	紫檀高束腰帶托泥方香几	清		北京市文物商店

頁碼	名稱	時代	發現地	收藏地
502	花梨石面五足圓花几	清		北京榮寶齋
503	黃花梨霸王棖挖角牙方桌	清		故宮博物院
503	黃花梨有束腰矮桌展腿式方桌	清		故宮博物院
504	紫檀有束腰羅鍋棖加卡子花方桌	清		河北省承德市避暑山莊博物館
504	紅木拐子紋條桌	清		首都博物館
505	紫檀一腿三牙條桌	清		故宮博物院
505	紅木滿雕雲龍紋大畫桌	清		北京藝術博物館
506	紅木無束腰裹腿直棖仰俯山櫺格半桌	清		北京龍順成中式家具廠
506	紫檀八屜書桌	清		故宮博物院
507	紫檀漆面圓桌	清		故宮博物院
507	紅木獅紋半圓桌	清		北京藝術博物館
508	紅木七巧桌	清		私人處
508	鷄翅木鼎形供桌	清		北京市文物商店
509	紫檀夾頭榫炕案	清		北京市頤和園管理處
509	黑漆嵌螺鈿山水人物紋平頭案	清		故宮博物院
510	紫檀有托子平頭案	清		北京韵古齋
510	黃花梨平頭案	清		故宮博物院
511	紫檀透雕花牙平頭案	清		故宮博物院
511	紫檀嵌沉香木平頭案	清		北京市頤和園管理處
512	櫸木羅鍋棖加卡子花平頭案	清		上海博物館
512	黃花梨螭紋翹頭案	清		故宮博物院
513	紫檀蟠螭紋架几案	清		河北省承德市避暑山莊博物館
513	杉木包鑲竹黃畫案	清		故宮博物院
514	紅木捲書式小條案	清		北京榮寶齋
514	紫漆描金羅漢床	清		故宮博物院
515	紫檀五屏風圍子羅漢床	清		上海博物館
515	紅木嵌石五屏式羅漢床	清		北京市北海公園静心齋
516	酸枝木鑲螺鈿貴妃床	清		廣東省博物館
516	紅木嵌螺鈿三屏式榻	清		北京市北海公園静心齋
517	紫檀大多寶格	清		北京炎黃藝術館
518	紫檀包鑲多寶格	清		北京藝術博物館
519	紫檀仿竹節雕鳥紋多寶格	清		上海博物館
519	紫檀多寶格	清		河北省承德市避暑山莊博物館
520	紫檀大四件櫃	清		故宮博物院

頁碼	名稱	時代	發現地	收藏地
521	黃花梨百寶嵌大四件櫃	清		故宮博物院
522	紅木方角小四件櫃	清		北京市文物商店
522	紫檀方角小四件炕櫃	清		故宮博物院
523	剔紅嵌玉嬰戲小櫃	清		加拿大皇家安大略博物館
523	貼黃提梁小櫃	清		故宮博物院
524	黃花梨百寶嵌高面盆架	清		故宮博物院
524	紫檀雕花鑲玻璃桌燈	清		故宮博物院
525	雕花木書架	清		新疆維吾爾自治區博物館
525	紅木升降式燈臺	清		私人處
526	紫檀框繪綫法畫美人亭榭景圍屏	清		故宮博物院
528	紫檀雕雲龍紋嵌玉石座屏風	清		上海博物館
529	剔紅祝壽圖圍屏風	清		上海博物館
530	紫檀框大挂屏	清		故宮博物院

531　年　表

戧金庭園仕女圖蓮瓣形奩

南宋

江蘇常州市武進區村前鄉南宋5號墓出土。

通高21.3、直徑19.2厘米。

木胎，十二棱蓮瓣形。分蓋、盤、中格和底四層，附淺圈足，合口處鑲銀扣。內髹黑漆，外髹朱漆，并以戧金飾花紋。蓋面戧刻庭園仕女圖。器身十二棱間細刻上下對稱的荷葉、蓮花、牡丹、山茶、梅花等六組折枝花卉。蓋內朱書“温州新河金念二郎上牢”款。

現藏江蘇省常州博物館。

戧金庭園仕女圖蓮瓣形奩蓋面

花瓣形奩

南宋
江蘇常州市武進區成章南宋墓出土。
通高31.5、直徑23.2厘米。
木胎。奩體呈花瓣形，由蓋、盤、中格和底四層組成。
内髹黑漆，外髹紫褐色漆。
現藏江蘇省常州博物館。

剔犀八角形奩

南宋
福建福州市茶園山南宋墓出土。
高13、口徑10厘米。
木胎，呈八角形，由蓋、中格、底組合而成。紅面有黑綫一道。蓋面中心剔刻五瓣梅花紋，外圍飾兩圈如意雲紋，間以四出圓心紋。
現藏福建省福州市博物館。

剔犀菱花形奩

南宋

福建福州市茶園山南宋墓出土。

高17、口徑15厘米。

木胎，呈六瓣菱花形，分三層。紫面，黃、紅相間。蓋面飾兩圈如意雲紋，中心及補間飾菱形枝叉紋。器身各層周壁剔刻相對組合的如意雲紋和捲雲紋。

現藏福建省福州市博物館。

瓶

南宋

江蘇宜興市和橋宋墓出土。

高11.9厘米。

木胎。瓶口微斂，細頸，鼓腹，小圈足。內髹黑漆，外髹紫褐色漆，口沿飾一圈黑漆邊。

現藏南京博物院。

托盞

南宋

江蘇常州市武進區村前鄉南宋墓出土。

通高6、盞口徑7.8、托口徑13.5、底徑6.4厘米。

木胎。盞口圓形，托呈六瓣花形。盞内髹黑漆，外髹朱漆。

現藏江蘇省常州博物館。

花瓣形盤

南宋

江蘇常州市麗華新村工地出土。

通高4.5、口徑23.5、底徑16.5厘米。

木胎。盤壁爲二十八棱花瓣形。内髹黑漆，外髹赭色漆。内底朱書“湖州西王上三”六字。

現藏江蘇省常州博物館。

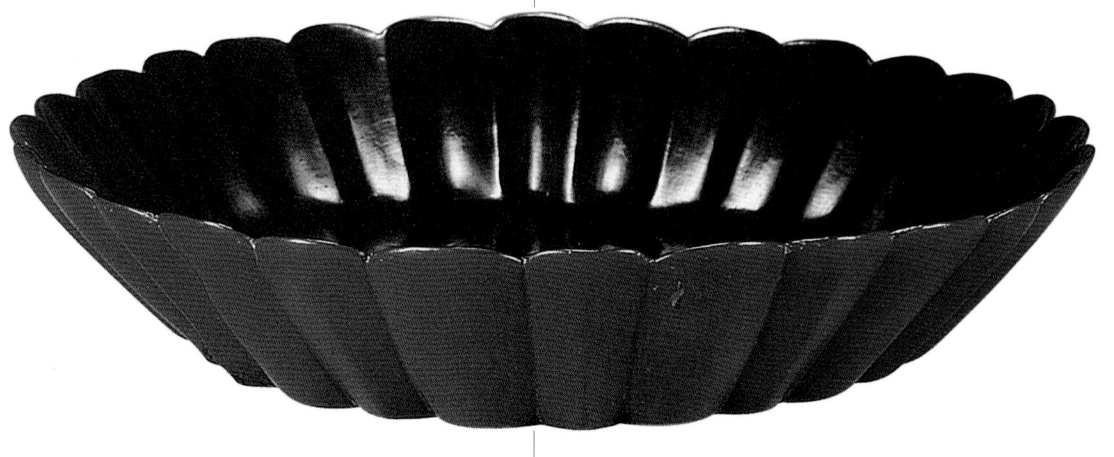

剔黑嬰戲圖盤

南宋

高4.5、直徑31.2厘米。

盤體花紋分內、外兩圈雕成。內圈雕樓閣三重，前爲庭院，嬰戲其間，上有明月懸于樹杪，全景似爲中秋之夜。外圈雕繁密的花卉及枝葉。

現藏日本文化廳。

堆朱後赤壁賦圖盆

南宋

高5、口徑34.4厘米。

盆呈圓形，塗漆多層，由紅、黃二色漆更迭。外底部髹黑漆，有朱書“泰”字。

現藏日本東京私人處。

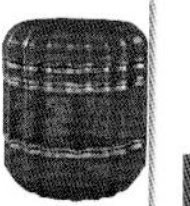

唾壺

南宋
江蘇常州市武進區蔣塘宋墓出土。
高10.5、盤口徑20.5、底徑6.3厘米。
木胎。口呈托盤形，束頸，圓鼓腹，淺圈足。通體髹黑漆，素面。
現藏江蘇省常州博物館。

剔犀長方形黃地鏡箱

南宋
江蘇常州市武進區村前鄉南宋墓出土。
高12.5、長16.7、寬11.5厘米。
木胎，黃漆地，呈長方形。箱設兩屜，其上有兩層套盤。屜板中央有柿蒂紋銅環。箱蓋可見剔犀工藝遺留的雲紋圖案綫條。套盤及下層盤內的支架均髹黑漆。
現藏江蘇省常州博物館。

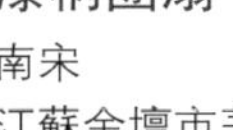

漆柄團扇

南宋
江蘇金壇市茅山東麓南宋周瑀墓出土。
扇面長26、寬20厘米，扇柄長16厘米。
扇柄髹黑漆。
現藏江蘇省鎮江博物館。

剔犀脱胎柄團扇

南宋
江蘇金壇市茅山東麓南宋周瑀墓出土。
扇面長26、寬20厘米，扇柄長12.5厘米。
扇面以細木杆爲軸，以竹篾絲爲骨，以一月牙形扇托護扇面，并裱紙施柿汁。扇柄鏤空透雕三組雲頭如意紋，黑漆面，十餘層朱、黑漆更迭，以脱胎工藝製成。柄頭部刻隸書“君玉”二字。
現藏江蘇省鎮江博物館。

碗

元

江蘇江陰市申港鎮張家店元墓出土。

通高8.8、足高1.5、口徑15.8、底徑7.7厘米。

木胎。器撇口，深腹、圈足。外底髹黑漆、口沿飾一圈黑邊，餘皆髹朱黃色漆。

現藏江蘇省江陰市博物館。

碗

元

江蘇常州市武進區卜弋鄉孫家村元墓出土。

高8.7、口徑19.6、底徑8.4厘米。

由窄木條圈叠成型。器口微斂，弧腹、圈足，造型穩重樸實。內外皆髹朱黃色漆，口沿及圈足底髹黑漆。外底正中朱書八思巴文“ꡆꡞꡋ”（陳），應爲墓主姓氏。

現藏江蘇省常州市武進區博物館。

剔紅花卉尊

元

高9.6、口徑12.8厘米。

器口微敞，束頸，鼓腹，矮圈足。口内及外部均雕朱漆，飾桃花、山茶、菊花、梔子花、秋葵、百合等各種花卉，花間黃漆素地。器底髹褐色漆，左側針刻“楊茂造”款。

現藏故宫博物院。

蓮瓣形奩

元

江蘇無錫市元代錢裕墓出土。

通高22、口徑16.5厘米。

由木條圈疊成型。呈八瓣蓮花狀。由蓋、盤、中格和底四層組成，以子母口相扣合。底略內凹，器內髹黑漆，器外則髹朱漆。

現藏江蘇省無錫市博物館。

蓮瓣形奩

元

上海青浦區元代任氏墓出土。

高38.1、口徑27.2、底徑20.4厘米。

呈八瓣蓮花形。器形較大，由蓋、盤、中格、下格和底五層組成，皆以子母口相扣合，附設高圈足。通體髹黑漆，漆層較厚。

現藏上海博物館。

剔紅東籬采菊圖圓盒

元

上海青浦區元代任氏墓出土。

高3.9、口徑12厘米。

内髹黑漆，外髹朱漆，呈棗紅色。盒面中間雕一頭戴巾帽、策杖而行的老者及一手捧菊花罐的小童，并飾以竹籬、虬松，表現陶淵明東籬采菊之圖。

現藏上海博物館。

剔紅曳杖觀瀑圖圓盒

元

高4.4、口徑12.3厘米。

呈扁圓形，平底，下有短圈足。器表爲棗紅色。蓋面作一老者曳杖觀瀑圖，飾三種不同的錦紋表現天、地、水波。立墻雕以雲雷紋。器底針刻楷書“張成造”三字。

現藏中國國家博物館。

剔紅賞花圖圓盒

元

高6.7、口徑21.5厘米。

盒面雕兩種錦紋以代表天和地，錦紋之上以殿堂、庭院、山石、竹林爲襯，表現二老者正在賞花。盒壁黄漆素地上雕朱漆梔子花、茶花、菊花、桃花等花卉。盒內及底髹黑漆、蓋內左側針劃“張敏德造”直行款。

現藏故宮博物院。

剔紅瑶池集慶圖圓盒

元

高9.6、口徑32.5厘米。

盒面雕衆仙人向西王母祝壽。

現藏日本東京國立博物館。

剔紅花鳥紋圓盒

元

高12、口徑24.5厘米。

盒外剔紅，蓋面以盛開的牡丹花作襯底，雕雙鳥展翅飛翔狀。周壁雕以細密花卉紋。底部附設圈足，髹黑漆，左側近緣處針刻“張成造”款，底及蓋內中央均朱書八思巴文“ꡘꡃ”（楊記）兩字。

現藏香港藝術館。

剔紅牡丹綬帶紋圓盒

元

高12、口徑46厘米。

盒平頂，平底，直壁，在黃漆素地上雕朱漆花紋。蓋面雕細密盛開的牡丹花，并飾兩隻綬帶鳥展翅飛翔其間，寓意“富貴長壽”。盒壁雕作捲草紋。盒内及底皆髹黑漆，而底部黑漆爲清代後髹。

現藏故宮博物院。

剔犀如意紋圓盒

元

高6.2、口徑14.8厘米。

盒呈圓形，在木胎上用朱、黑色漆分層相間髹飾約百餘道，漆層肥厚。蓋面和盒身滿雕如意雲紋，餘地皆髹黑漆。盒底左側邊緣有針刻“張成造”三字款。

現藏安徽省博物館。

嵌螺鈿樓閣人物圖捧盒

元

高29.4、口徑40.5厘米。

通體作多瓣菱花形，由形制相仿的蓋與身扣合而成，直口，弧腹，平頂，下置圈足。器表髹黑漆，上以螺鈿技法裝飾紋樣。其中蓋面表現樓閣人物畫面：上方樓閣間男女老少數十人或相聚交談、或嬉戲玩耍。

現藏日本東京出光美術館。

嵌螺鈿山水樓閣圖圓盒

元

高11.2、口徑25.7厘米。

盒面頂部飾山水樓閣及人物紋，周圍飾一圈蓮池水鳥紋。蓋、器口緣飾一圈魚藻紋。

現藏日本東京國立博物館。

嵌螺鈿山水樓閣圖圓盒蓋面

嵌螺鈿八仙祝壽八方盒

元

高23.4、口徑36厘米。

盒面左下方爲乘鸞的西王母，右上方爲壽星，右下方爲前來祝壽的八仙，八仙中有劉海。盒面左側有螺鈿“劉紹緒作”款。

現藏日本私人處。

“内府官物”盤

元

北京延慶縣清泉鋪鄉元代窖藏出土。

高5.9、盤徑36.3厘米。

木胎。敞口、淺腹、平底、短圈足。器表髹朱漆，圈足內髹黑漆。素面，外底有朱漆竪款三行計三十字，中行爲“内府官物”四字。

現藏北京市文物研究所。

盤

元

江蘇江陰市申港鎮張家店元墓出土。

高4.2、盤徑18厘米。

木胎。敞口、淺腹、圈足。盤外底髹黑漆、口沿飾一圈黑邊，餘皆髹朱黄色漆。

現藏江蘇省江陰市博物館。

剔犀圓盤

元

高3.1、盤徑19.2厘米。

內外皆髹黑漆素地，并以朱、黑漆層相叠，采用“烏間朱綫”的工藝堆飾花紋。盤內刻五朵如意形雲紋，分列于盤心外圈。外壁雕捲草紋。盤外底附圈足，皆髹黑漆。

現藏故宮博物院。

剔紅水仙紋圓盤

元

高3.4、盤徑21厘米。

盤內黃漆素地上雕朱漆水仙花紋。外壁雕捲草紋。盤底附設矮圈足。

現藏故宮博物院。

剔紅茶花綬帶紋圓盤

元

高3.6、盤徑31厘米。

內外黃漆素地上雕朱漆花紋。盤內雕兩隻綬帶鳥于茶花叢中翩翩起舞之圖。盤外壁雕捲草紋。

現藏故宮博物院。

剔紅梔子花紋圓盤

元

高2.8、盤徑17.8厘米。

盤內外黃漆素地之上雕朱漆花紋，盤內正中刻盛開的雙瓣梔子花一朵，旁有四朵含苞待放的花蕾及舒展肥厚的枝葉。盤外壁雕捲草紋。圈足內髹黃褐色漆，在內緣左側有針刻“張成造”直行款。

現藏故宮博物院。

剔紅梅花紋圓盤

元

高2.5、盤徑16.5厘米。

盤内爲六瓣花形開光，開光内錦紋地上雕錯枝梅花，開光外圍雕各種花卉紋。盤沿飾錦紋。盤背面剔捲草紋、内間飾細黑綫。盤底圈足、内塗黑光漆，左側有後世刀刻“大明宣德年製”戧金款，右側近緣處針劃“楊茂造”款。

現藏北京藝術博物館。

剔紅蓮池水鳥圖圓盤

元

高4.7、盤徑32.8厘米。

盤内黄漆地上雕蓮池和盛開的荷花，兩隻水鳥嬉戲其間。

現藏日本私人處。

剔紅觀瀑圖八方盤

元

高2.7、盤徑17.8厘米。

呈八方形，下附圈足。內外皆髹朱漆。盤中開光，作一老者觀瀑圖，飾兩種不同錦紋，水紋、天紋渾然一氣，天水相連，浩渺無際，畫面簡潔而韵味盡現。盤外底髹黑漆、內緣左側針刻“楊茂造”款。

現藏故宫博物院。

剔黑花鳥圖瓣式盤

元

盤徑38.2厘米。

盤心開光内紅地，雕四季花卉、水禽、飛鳥和太湖石。

現藏英國倫敦大英博物館。

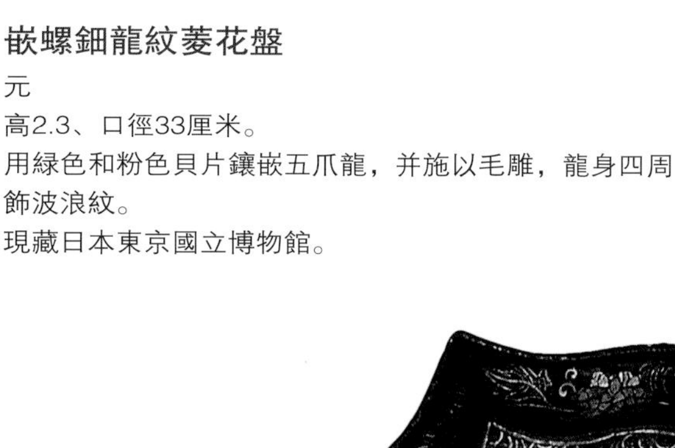

嵌螺鈿龍紋菱花盤

元

高2.3、口徑33厘米。

用綠色和粉色貝片鑲嵌五爪龍，并施以毛雕，龍身四周飾波浪紋。

現藏日本東京國立博物館。

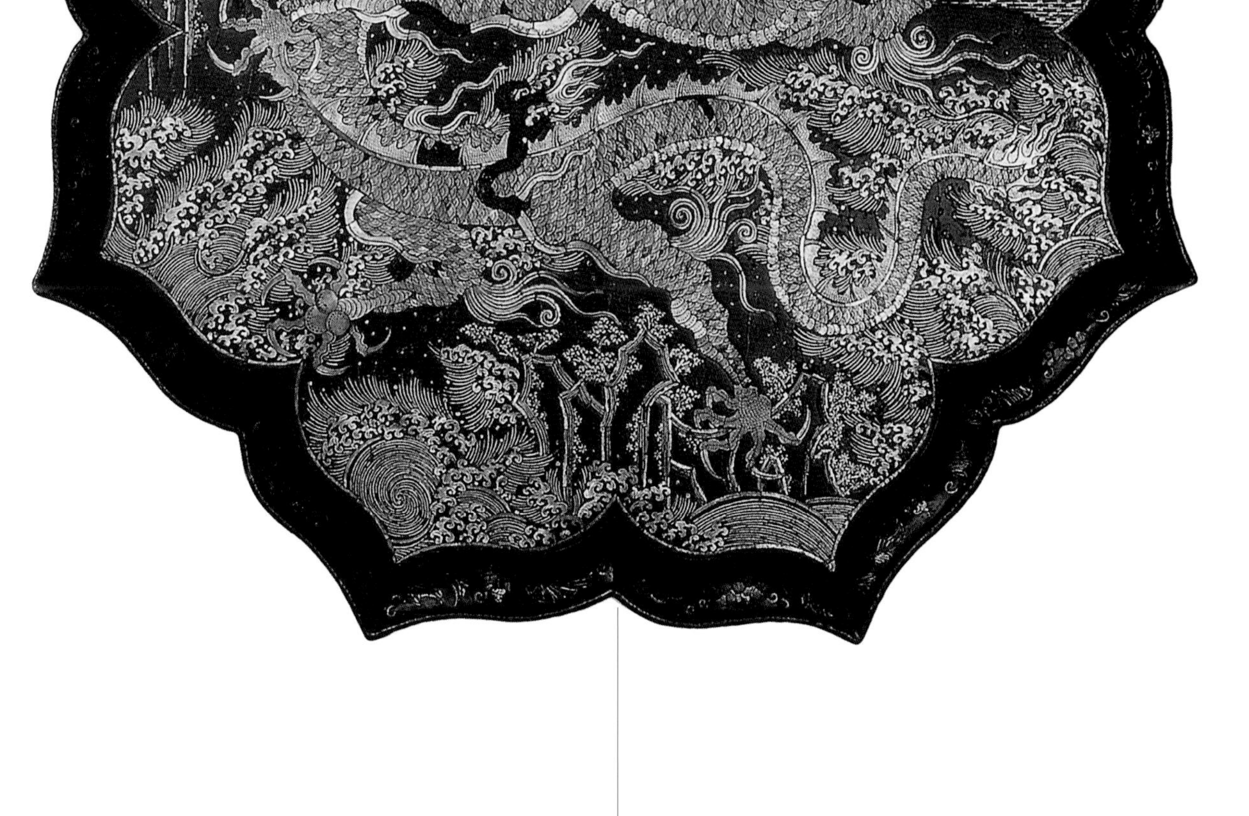

嵌螺鈿廣寒宮圖黑漆盤殘片

元

北京西城區後英房元大都遺址出土。

最寬處37、厚0.1–0.5厘米。

殘片爲木胎，呈不規則半圓形。髹黑漆作地，以螺鈿爲紋。圖案正中爲一雙層樓閣，掩映在祥雲、茂樹、繁花叢中。

現藏首都博物館。

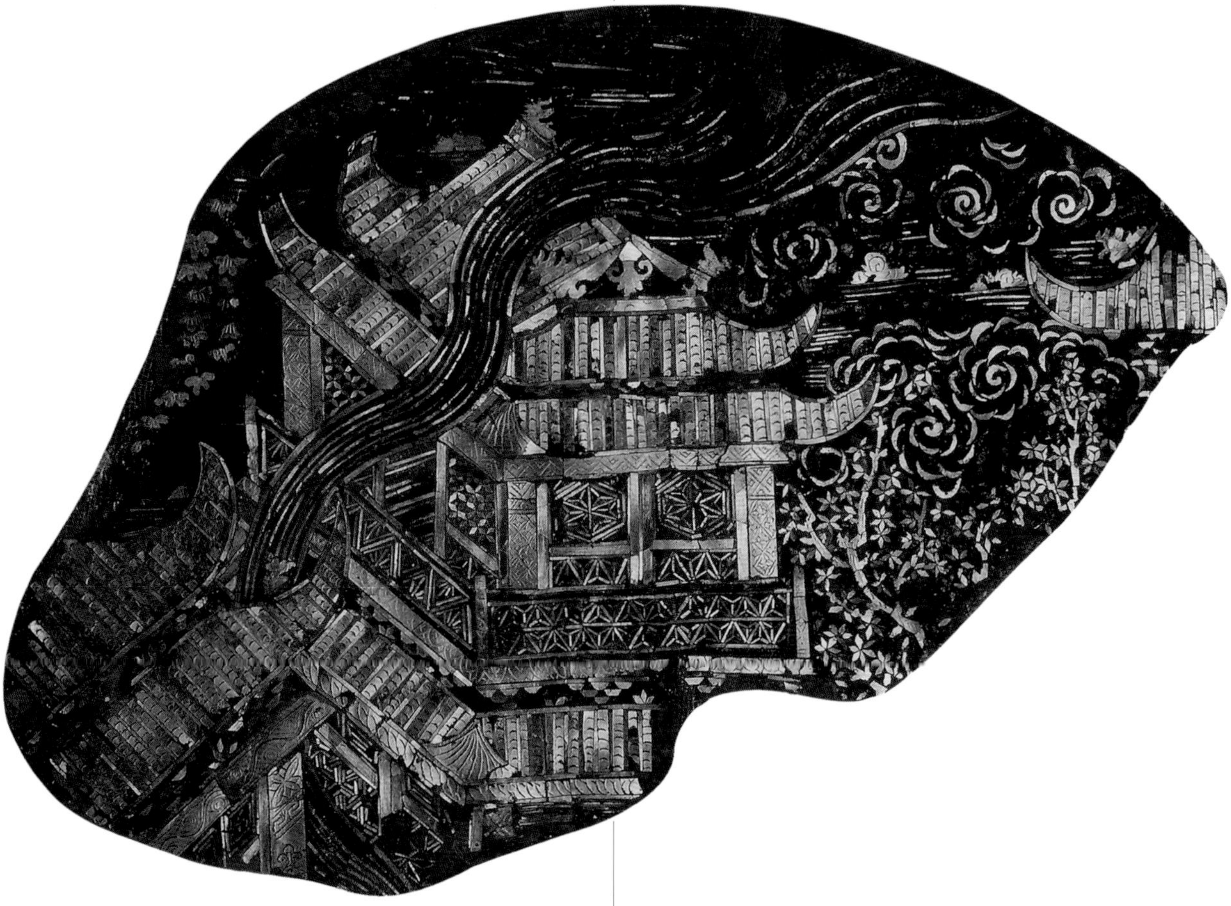

剔紅菊花圓盒

明

高7、口徑23.5厘米。呈扁平形，直壁、平底。通體在黃漆素地上雕朱漆，蓋面飾菊花紋，盒壁雕牡丹、荷花、桃花等花卉。盒內及底髹赭色漆，左側針刻“大明永樂年製”款。

現藏故宮博物院。

剔紅牡丹圓盒

明

高6.4、口徑18.7厘米。木胎，扁圓形，蓋與器身子母口扣接。通體髹朱漆，漆層較厚，色澤潤亮。底部一側邊緣有楷書“大明永樂年製”針刻竪行款。

現藏遼寧省旅順博物館。

剔紅觀瀑圖圓盒

明

高7、口徑23.5厘米。

通體雕朱漆。蓋面天、地、水三種錦紋之上雕一老者坐觀飛瀑圖，盒壁雕俯仰的牡丹、石榴、菊花等花卉紋。蓋内髹赭色漆，器内及底爲黑漆、底左側針劃竪行“大明永樂年製”款識。此盒蓋與器身漆質不一，非原配。

現藏故宫博物院。

剔紅九龍大圓盒

明

高12、口徑39厘米。

通體雕朱漆。蓋面六瓣蓮花形開光内雕菱形錦紋地，其上雕雲龍紋，開光外雕纏枝蓮花紋。盒壁上下各四開光，紋飾同于蓋面。每一開光内均有一龍，計九龍。蓋内及底髹黑漆，底正中刀刻填金“大明宣德年製”楷書款，蓋内刻隸書乾隆御製詩一首。

現藏故宫博物院。

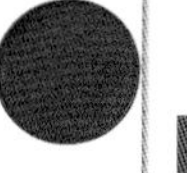

剔彩林檎雙鸝圓盒

明

高19.8、口徑42.2厘米。

呈圓形，附圈足。由朱、黄、緑、黑四色共十三層以剔彩工藝雕刻而成。盒面圓形開光内雕林檎、黄鸝圖，盒蓋側壁雕果實圖案，盒的上下口緣則雕花卉圖案。蓋面開光内邊緣刀刻填金“大明宣德年製”楷書款。

現藏故宫博物院。

戧金彩漆歲寒三友圓盒

明

高7.1、口徑14.5厘米。

通體紅漆地，戧金填彩描飾圖案。蓋面爲松、竹、梅之“歲寒三友圖”，盒側面飾四季花卉。底部有“大明宣德年製”款。

現藏日本東京國立博物館。

剔紅福禄壽歲寒三友紋盒

明

高8.8、口徑17厘米。

平面呈圓形，器蓋與器身皆直壁，平頂或平底。以墨緑色漆爲地，上雕朱漆花紋，其中蓋面下方雕三塊巨石挺立于波濤之中，松、竹、梅繞石盤捲而上，枝條屈曲，分别形成“福”、“禄”、“壽”三字。蓋、身立墻上雕鳳、鶴及雲紋。盒底髹黑漆，上有“大明嘉靖年製”六字款。

現藏故宫博物院。

剔紅雲龍紋圓盒

明

高11.5、口徑25.9厘米。

通體以朱漆雕花紋，蓋面刻緑漆勾雲紋錦地和水紋錦地，之上雕一巨龍，口中吐出“壽”字形紋，兩側爲“卍”字。盒壁亦雕雲龍紋。盒内及底髹黑漆，底正中竪刻“大明嘉靖年製”填金楷書款。

現藏故宫博物院。

剔彩龍鳳紋圓盒

明

高11、口徑25.9厘米。

通體雕朱、黄、緑三色漆。蓋面以緑漆内錦地中雕團“壽”字，左龍右鳳，上下左右四開光内各雕一字，合爲“萬壽永長生”之意。盒壁緑漆錦紋上雕鳳鶴各二，間有雲紋。盒内及底髹黑漆，正中竪刻“大明嘉靖年製”填金楷書款。

現藏故宫博物院。

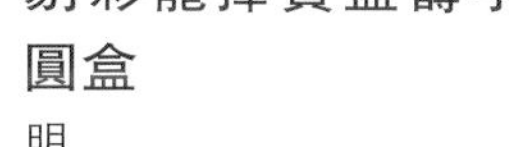

剔彩龍捧寶盆壽字圓盒

明

高13.5、口徑38.9厘米。

通體髹朱、緑二色漆。蓋面雕龍捧寶盆壽字圖。盒壁雕纏枝靈芝托雜寶紋。盒内及底髹朱漆，底正中竪刻“大明嘉靖年製”填金楷書款。

現藏故宫博物院。

剔彩龍紋圓盒

明

高9.5、口徑23厘米。

通體雕朱、黃、綠三色漆。蓋面施錦紋，上黃下綠，其上雕一龍，龍首正上方有“乾坤”卦象。蓋壁雕四游龍，盒上下口緣剔犀香草紋。圈足邊雕回紋。盒内及底髹黑漆，底正中竪刻“大明嘉靖年製”填金楷書款。

現藏故宫博物院。

剔彩龍紋圓盒蓋面

戧金彩漆寶盆紋圓盒

明

高13.8、直徑50.5厘米。

通體髹緗色漆地，用朱、黃、綠、紫、黑等色漆描飾花紋，并細鈎戧金輪廓。蓋面飾開光內的寶盆紋及四周環繞的如意、折枝花及排簫、笛、磬等樂器紋。盒壁飾龍紋，并有“八方如意”、“永保長生”篆書。底髹朱漆，中心刀刻填金“大明嘉靖年製”竪行款。現藏中國國家博物館。

戧金彩漆寶盆紋圓盒蓋面

剔彩雲龍紋圓盒

明

高13、口徑30.8厘米。

通體髹朱、黄、綠三色漆，蓋面雕雙龍戲珠，肩部及盒壁均四開光，内剔折枝花卉，外雕菱形花卉錦紋，上下口緣雕靈芝紋。器内外及外底均髹黑光漆，足内上方邊緣刻“大明萬曆丙戌年製”楷書填金款。

現藏故宫博物院。

彩繪描金人物山水紋圓盒

明

高10.2、口徑52.8厘米。

木胎，蓋、身扣合，通體作扁圓狀。髹朱漆爲地，盒蓋面以金描繪一幅山水畫，并以黑漆勾描，畫面布局得當，頗有文人畫韵味。蓋立墻上繪雲龍紋八條，髹飾方法與蓋面相同。盒内髹朱漆，底面髹黑色退光漆，中心雕刻填金楷書“大明萬曆年製”直行款。

現藏故宫博物院。

剔紅樓閣人物圓盒

明

高4.5、口徑12.9厘米。

通體雕朱漆，蓋面在天、地、水三種不同錦紋之上雕樓閣人物圖，盒壁在黃漆素地上雕飾牡丹、山茶、菊花、石榴等。盒內及外底均髹褐色漆。

現藏故宮博物院。

剔紅賞蓮圖圓盒

明

高10.8、口徑25.9厘米。

通體雕朱漆花紋，蓋面雕天、地、水三種錦紋，其上雕賞蓮圖，盒壁雕花卉紋。

現藏故宮博物院。

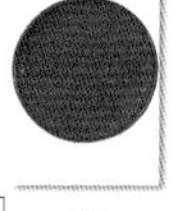

剔紅携琴訪友圖圓盒

明

高8、口徑26.6厘米。

呈扁圓形。通體雕朱漆，蓋面雕天、地、水三種錦紋，其上以一老者携琴訪友之景爲圖，盒壁黄漆素地上雕俯仰花卉。盒内及底髹黑漆。

現藏故宫博物院。

剔紅觀泉圖圓盒蓋面

剔紅觀泉圖圓盒

明

高4.3、口徑13.1厘米。

呈扁圓形。通體雕朱漆，蓋面飾一老人端坐觀泉圖，下襯以天、地、水三種錦紋，盒壁雕俯仰的牡丹、茶花、菊花、石榴等花卉紋。盒内及底髹黑漆。

現藏故宫博物院。

剔紅秋林人物圖圓盒蓋面

剔紅秋林人物圖圓盒

明

高6.4、口徑19.3厘米。

通體雕朱漆，蓋面飾秋林人物圖，盒壁錦紋之上雕折枝茶花、梅花等。

現藏故宮博物院。

剔紅揖拜圖圓盒

明

高6.4、口徑20.8厘米。

通體金地雕朱漆。蓋面圓形開光内雕揖拜圖，開光外雕纏枝草紋，盒壁雕纏枝花鳥紋。

現藏故宮博物院。

剔紅飛龍紋圓盒

明

高6、口徑20.3厘米。

通體髹朱漆，雕飾飛龍花卉紋，間雕雜寶紋。器内、外底髹黑漆。

現藏故宫博物院。

剔紅飛龍紋圓盒蓋面

剔紅桂花紋小圓盒

明

高4.3、口徑11.4厘米。

盒外皆髹素黄漆地，雕盛開的桂花紋。盒内和外底部髹黑漆，足内左側邊緣針劃“大明永樂年製”款，旁邊又有後世陰刻填金“大明宣德年製”楷書款。

現藏故宫博物院。

剔紅荔枝紋小圓盒

明

高3.5、口徑9.7厘米。

于黄漆地上雕紅漆花紋。蓋面滿雕荔枝紋。矮圈足内左側刀刻填金“大明宣德年製”楷書款。

現藏故宫博物院。

剔犀如意紋小圓盒

明

高4、口徑7.7厘米。

由朱、黑二色漆分層髹飾而成。蓋、身分雕三組如意雲紋，盒内髹黑褐色漆。

現藏上海博物館。

剔紅荔枝紋小圓盒

明

高4.1、口徑9.5厘米。

呈扁圓形。蓋與盒身以子母口扣合，兩面紋飾相同，皆以波折連續的水紋爲錦地，上雕荔枝圖。

現藏故宫博物院。

剔紅荔枝紋小圓盒蓋面

剔紅狩獵圖小圓盒

明

高4.1、口徑10.6厘米。

鉛胎，由形制相同的蓋與盒身以子母口扣合而成。兩面皆雕紋飾，蓋面爲狩獵圖，盒身則雕十鹿圖，皆襯錦紋地。

現藏故宫博物院。

剔彩菊花紋小圓盒

明

高3.8、口徑8厘米。

由黄、绿、朱三色以剔彩工藝雕製爲紋。通體在黄漆地上滿鋪菊花紋，绿葉紅菊，隨類賦彩，色深内蘊。盒内及外底均髹黑光漆，無款。

現藏故宫博物院。

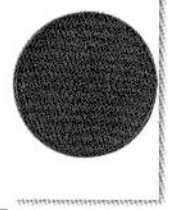

剔紅花卉紋小圓盒

明

通高5.3、口徑8.2厘米。

鉛胎。呈扁圓形，由蓋與盒身以子母口相扣合而成。通體髹朱漆，在菊花錦紋上雕海棠花和稻穗圖案，蓋與盒身紋樣略有區別。內髹黑光漆。

現藏故宮博物院。

填漆梵文纏枝蓮紋小圓盒

明

高4.4、口徑8.5厘米。

木胎。作圓形，由蓋、身兩部分組成。通體以暗紅色漆爲地，蓋面中央飾一朵深紫蓮花，四周飾四朵淺紫色蓮花，每朵蓮花之上承梵文各一字，花與花之間以纏枝紋爲襯底，立墻也繪纏枝蓮紋。花邊及梵文字邊鑲以黃漆，纏枝用黃漆勾出，梵文以深紫色漆繪出。

現藏故宮博物院。

嵌螺鈿池塘水鳥圖圓盒

明
高7.7、口徑42.3厘米。
盒蓋上嵌螺鈿飾池塘水鳥圖，岸邊柳樹蔭蔭，數隻水鳥嬉戲于水中和池邊。
現藏日本東京國立博物館。

嵌螺鈿池塘水鳥圖圓盒蓋面

剔黑牡丹紋圓盒

明

高15、口徑22.5厘米。

呈圓形，下附圈足。蓋面雕朱漆地黑漆花紋，正中爲一朵盛開的牡丹花。蓋、器壁雕花卉，口邊、足邊雕回紋。盒内及外底部髹黑漆。

現藏故宫博物院。

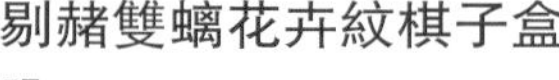

剔赭雙螭花卉紋棋子盒

明

高9、口徑12.3厘米。

蓋與盒身扣合，通體髹赭色漆。蓋面正中雕雙螭戲于花草叢中，蓋邊雕菱形花卉錦紋，盒身上下邊緣雕連續回紋，正中滿雕纏枝蓮紋。器内、外底髹黑光漆。

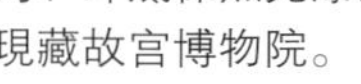

現藏故宫博物院。

戧金彩漆雲龍梅花式盒

明

高14、口徑21.5厘米。

呈五瓣梅花形，附隨形圈足。蓋面朱漆地飾黑色菱形錦地，上繪雲龍紋。蓋、器壁及口緣繪折枝花紋和靈芝紋。盒内及底髹黑漆，底正上方横刻“大明萬曆丁未年製”填金楷書款。

現藏故宫博物院。

剔紅八仙祝壽葵瓣式盒

明

高24.5、口徑28.1厘米。

呈八棱葵瓣式，下有外撇圈足。蓋面八方形開光内雕八仙祝壽圖。蓋壁八開光、内雕花鳥，器壁開光内雕折枝花卉，足部雕有二方連續回紋。

現藏故宫博物院。

嵌螺鈿樓閣人物圖八方盒

明

高25.3厘米。

圓形八方盒，隨形圈足。通體黑漆地，嵌螺鈿紋飾。蓋頂飾樓閣人物，盒蓋及盒身四層各八開光，上下二層飾花卉和鳳凰，中間二層飾人物故事畫。

現藏日本大阪市立美術館。

描彩漆嵌螺鈿八方盒

明

高29、口徑33厘米。

呈圓形八方式，下附隨形圈足。蓋與盒身扣合，內置一彩繪黑漆盤。通體黑漆地，并彩繪花紋，蓋頂面飾山水樓臺人物，器壁上下各八開光，內彩繪山水、花卉，邊飾錦紋描金嵌薄螺鈿。上下口緣亦有小開光，內彩繪螭龍紋。

現藏安徽省博物館。

朱漆戧金雲龍紋長方形盒

明

山東鄒城市明魯王朱檀墓出土。

高7.2、長36、寬11厘米。

木胎，呈長方形，抽蓋。內外皆朱漆戧金。蓋面及兩側面飾雲龍紋，兩端面飾雲紋。盒內置玉圭一件。

現藏山東省博物館。

剔紅雲龍紋長方形盒

明

高13.3、長40.5、寬13厘米。

呈長方形，盝頂，平底。通體在黃漆素地上雕朱漆。蓋面雕一條回首龍騰躍于雲朵之中，四壁亦雕雲龍紋。內髹黑漆，底髹赭色漆，左側刀刻“大明宣德年製”豎行楷書款，此款下隱約可見“大明永樂年製”針劃款。

現藏故宮博物院。

剔紅雙龍長方盒

明

高8.4、長35.2、寬14.2厘米。

呈委角方形，下附圈足。通體雕朱漆，蓋面開光内雕雙龍戲珠，開光外雕折枝蓮花，盒壁雕纏枝花卉，盒上下口緣和委角處雕靈芝紋，足雕回紋。底髹黑漆，正上方横刻“大明萬曆壬辰年製”填金楷書款。

現藏故宫博物院。

剔紅雙龍長方盒蓋面

剔彩雙龍紋長方盒

明

高9.9、長30、寬18.2厘米。

木胎。平面呈長方形，委角，弧壁，下設矮圈足。蓋面朱、緑錦地，構成紅天緑海的裝飾效果。錦地上髹黄漆，雕二龍戲珠紋。盒邊及口沿處雕以細密的花卉紋。盒底足内髹黑漆，内刻一行八字楷書款識：“大明萬曆乙未年製”。

現藏故宫博物院。

戧金彩漆雲龍荷塘圖長方盒

明

高16.5、長33、寬18厘米。

呈委角長方形，下附長方形圈足。蓋面朱漆描黑色錦紋，錦紋内有描金“卍”字，主體紋飾爲二龍戲珠。蓋壁及盒身四周爲黑漆戧金荷塘圖景。内壁及盒底均髹黑漆，底部有刀刻填金“大明萬曆乙未年製”款。

現藏河北省博物館。

雙龍紋長方盒

明

高14.8、長23、寬18.5厘米。

木胎。作委角長方形，四壁較獨特，向内傾斜凹入自然形成長方形開光。通身髹紅褐色漆爲地，立墻開光内均飾纏枝蓮紋。紋飾以黑、紅、紫等色漆填出。盒内及底足均髹黑色退光漆，底足内刀刻填金“大明萬曆癸丑年製”橫行楷書款。

現藏故宮博物院。

剔紅嬰戲圖長方盒

明

高7.7、長14.5、寬11.3厘米。

呈長方形，平底，内有一屉。通體雕朱漆花紋，盒面飾秋庭嬰戲圖，下襯菱形小花錦紋地，盒壁雕刻桃花紋。

現藏故宫博物院。

剔紅花鳥紋長方盒

明

高11.3、長36.7、寬22厘米。

呈長方形，直壁，平底。通體皆施錦紋地，其上朱漆雕花紋。蓋面飾花鳥紋，盒壁雕有各種花卉圖案。

現藏中國國家博物館。

雙鳳長方盒

明

高7.9、長22.6、寬13厘米。

呈長方形，平頂、直壁、平底。通體以朱漆爲地描黑漆，蓋面飾雙鳳穿花圖，盒壁描纏枝花紋。盒内及底髹黑漆。

現藏故宫博物院。

“江千里式”嵌螺鈿雲龍紋長方盒

明

高6.8、長13、寬9.7厘米。

呈圓角長方形，底平無足。通體髹黑漆，嵌薄螺鈿片。蓋面題“長春堂”，計三十字，款署“西白銘”，鈐“星貴”方章。四壁通飾雲龍紋。蓋裏嵌篆書“江千里式”款。

現藏故宫博物院。

描彩漆携琴會友圖長方盒

明

高11.5、長50、寬31.5厘米。

蓋面黑漆開光，内彩繪山水人物，爲夏日山居携琴會友圖，外飾描金“卍”字紋，邊飾描金螭紋。盒内有碗槽六，長方盤八，均内髹朱漆，飾描金花邊。

現藏安徽省博物館。

朱漆描金山水長方盒

明

高3、長17.9、寬9.7厘米。

盒作天蓋地式。通體髹朱漆，蓋面飾描金山水人物圖，以黑漆勾紋理和輪廓，餘面皆光素。此盒爲盛墨器。

現藏故宫博物院。

剔紅萬壽紋長方盒

明

高33.1、長35.7、寬26.4厘米。

圖案主體爲一株桃木，壽桃上雕“卍”字，象徵“萬壽”。盒底部有填金“大明嘉慶年製”款。

現藏日本東京國立博物館。

剔紅人物花鳥紋長方提盒

明

通高24.2、長17.2、寬25.8厘米。

髹朱漆。盒面雕郊游圖，寓意“松鶴延年”。錦地分別處理，岸上雕小朵花代表土地，湖面則以連續的水波紋表示。立墻雕花鳥紋。盒底座及提梁爲朱地剔黑，上雕靈芝紋。盒内施黑色退光漆。

現藏故宫博物院。

剔紅花鳥紋提盒

明

通高16、長17.5、寬14厘米。

盒爲長方形、通體髹朱漆。蓋面雕寒梅報春圖，下襯回紋錦地，匣壁面在方格花卉錦地上雕梅花、茶花及山石。提梁以朱漆爲地，剔黑纏枝靈芝紋。盒内、外底均髹黑漆，無款。

現藏故宫博物院。

戧金彩漆龍鳳方勝式盒

明

高11、口徑長31.3、寬10.2厘米。

盒爲方勝式，下附隨形圈足。通體朱漆地戧金填彩漆，蓋面左鳳右龍，中爲雲紋。盒内及底髹黑漆，底正中横刻“大明嘉靖年製”填金款。

現藏故宫博物院。

戧金彩漆龍鳳銀錠式盒

明

高11.7、長25.2厘米。

盒爲橢圓束腰，呈銀錠形。通體髹朱漆爲地，填彩漆細鈎戧金花紋。蓋面雕填龍鳳對舞，中爲海水江牙，描金篆書“萬”字，斜壁處飾海水、祥雲及八卦圖，蓋、盒身口緣處飾錦紋。盒底髹黑漆，中間横刻“大明嘉靖年製”戧金款。

現藏故宫博物院。

朱漆戧金雲龍紋盝頂箱

明

山東鄒城市明魯王朱檀墓出土。

高61.5、邊長58.5厘米。

木胎，盝頂方形，平底、内分三層。箱内髹黑漆，外髹朱漆，飾戧金龍紋，頂面與四側面飾團龍、雲紋，邊飾花紋帶。箱上附活頁，穿鼻、提梁及鎖鑰等，并飾以雲龍紋。此箱出土時内置冕冠、袍靴等物，并有朱漆木杠相配套。

現藏山東省博物館。

雕填二龍戲珠紋漆箱

明

高33、口長32.4、口寬51厘米。

木胎。作長方形，鰍背式蓋，直壁，下連底座。正面設鎏金銅合頁及鎖扣，兩側各置一鎏金銅提手。通體髹紅漆爲地，前、後、兩側及蓋面的中心均作開光，開光内黑漆地上飾菱形錦紋地，上用金漆填二龍戲珠圖案，并配以海水江牙。開光外環飾以纏枝蓮紋。

現藏故宫博物院。

戧金細鈎填漆龍紋箱

明

高42、長95、寬63厘米。

箱呈長方形，蓋頂隆起，下有底座。蓋頂開光内雕填海水雙龍，開光外飾花卉紋。各立面紋飾與此基本相同。

現藏故宫博物院。

剔紅纏枝蓮圓盤

明

高4.2、盤徑32.4厘米。

呈圓形，漫淺式，附矮圈足。盤內黃漆素地上雕朱漆七朵纏枝蓮花紋，外壁雕十朵纏枝蓮花。外底髹赭色漆，左側刀刻填金“大明宣德年製”楷書款，其下隱約可見“大明永樂年製”針劃款。

現藏故宮博物院。

剔紅孔雀牡丹紋盤

明

高6、盤徑44.5厘米。

敞口，圓唇，弧壁，矮圈足。通體髹朱漆。盤面兩側雕上下交錯分布的兩隻孔雀，孔雀周邊密布牡丹花葉。足內有“大明永樂年製”六字針劃款。

現藏故宮博物院。

剔紅樓閣人物圖圓盤

明

盤徑18.8厘米。

盤心雕高大的樓閣，樓閣立柱上刻銘“弘治二年平凉王銘刀”。弘治二年爲公元1489年。

現藏英國倫敦大英博物館。

剔紅花鳥圓盤

明

高3.6、盤徑31.3厘米。

盤內黄漆素地上滿雕花鳥圖，中心爲一朵盛開的荷花，四周爲荷葉、鴛鴦、鷺鷥、花苞、水草、碎花等。盤底髹黑漆。

現藏山東省博物館。

剔紅福禄壽三桃圓盤

明

高3.2、盤徑19.2厘米。

通體赭色漆地上雕朱漆花紋。盤心雕靈芝紋，上承桃枝，三桃刻篆文“福”、“禄”、“壽”三字，下襯“卍”字錦紋地。內壁雕雙龍纏枝靈芝紋，外壁雕折枝花卉，足雕連續回紋。盤底髹黑漆，足内正中竪刻“大明嘉靖年製”填金楷書款。

現藏故宫博物院。

攢犀地雕填松鶴紋圓盤

明

高4.4、盤徑31.4厘米。

内外皆髹米黄色漆爲攢犀地，用緑、朱、紫、黄等色漆填飾花紋，盤心飾松鶴紋，寓“松鶴延年”。盤壁亦飾松、鶴。圈足内髹緑光漆，中心隱約可見“大明嘉靖年製”款。

現藏故宫博物院。

剔彩貨郎圖圓盤

明

高5.2、直徑32.1厘米。

木胎。盤心作圓形開光，中部刻一挑擔賣貨的老人，手持鼗鼓，後有一貨擔，擔上有三弦、鈴、筝等數十種貨物。貨擔附近有幼兒八人。底足施朱漆，刻有“大明嘉靖年製”款。

現藏故宫博物院。

剔彩龍紋圓盤

明

高3.5、盤徑23.4厘米。

盤内、外皆髹朱、黄、緑三色漆。盤内飾圓形開光，内雕一團龍作騰雲狀，内外壁皆雕行龍及雲紋。足邊光素。盤外底黑漆係後髹，無款。

現藏故宫博物院。

剔黄雲龍紋圓盤

明

盤徑21.3厘米。

通體黄、紅二色漆髹成。盤心開光，内雕雲龍戲珠，龍周圍飾祥雲和海水江牙。盤邊雕纏枝牡丹花紋。盤底刻“大明萬曆己丑年製”填金款。

現藏日本京都泉屋博古館。

剔紅歲寒三友圖圓盤

明

高2.2、盤徑17.5厘米。
呈圓形，漫淺式，下附圈足。內、外皆髹朱漆，盤内滿飾壽山福海、雙松及竹、梅，外壁亦雕松竹梅。外底髹黑漆。
現藏中國國家博物館。

剔紅荔枝綬帶鳥圖圓盤

明

高2.8、盤徑18.5厘米。
内外皆髹朱漆，盤内雕綬帶鳥飛翔于荔枝叢中，亦雕一太湖石，下襯菱形錦紋地。盤外壁錦紋之上雕茶花、桃花。底髹黑漆。
現藏故宫博物院。

嵌螺鈿西厢記圖圓盤

明

高1.2、盤徑12.4厘米。

盤口外撇，作漫淺式，下附矮圈足。通體髹黑漆，盤心嵌螺鈿《西厢記》“琴挑”圖，壁嵌花卉紋。外底有螺鈿嵌“千里”二字款。

現藏南京博物院。

剔紅五老圖蓮瓣式盤

明

高4.5、盤徑33.5厘米。

盤口作蓮瓣形，下附隨形足。内外均髹棗紅色漆，盤心開光内以天、地、水紋錦地爲襯雕五老圖，外壁雕纏枝花紋。盤底左側針劃“大明宣德年製”單行填金款。

現藏天津博物館。

剔黑花鳥葵瓣式盤

明

高3.8、盤徑31.3厘米。

口沿呈葵花形，底附圈足。盤內黄漆素地上以黑漆雕雙鵲牡丹圖，盤外壁雕香草紋。

現藏山東省博物館。

剔犀如意紋葵瓣式盤

明

高3、盤徑24.5厘米。

盤口呈葵花形，下附隨形圈足。通體髹剔犀如意紋，并以盤心爲中心呈規則分布。

現藏南京博物院。

剔紅宴飲圖蓮瓣式盤

明

高4、盤徑34.8厘米。

呈八瓣蓮花式，下附隨形圈足。盤心開光内雕宴飲歡聚圖，下襯天、地、水三種錦紋，内外壁雕牡丹、茶花、菊花、梔子花及蓮花紋。足邊光素，底經重髹。

現藏故宫博物院。

剔紅祝壽圖蓮瓣式盤

明

高4.3、盤徑34.8厘米。

木胎，呈八瓣蓮花形，附圈足。内外皆雕朱漆花紋，盤心圓形開光内雕松、鶴、鹿、桃、仙人祝壽圖。盤壁内外素地雕寶相花。足邊飾回紋，底髹黑漆。

現藏日本東京東方漆藝研究所。

雕填龍鳳紋菊瓣式盤

明

高4.6、盤徑25.6厘米。

通體呈圓形，盤口作菊瓣式。通體髹紅褐色漆爲地，盤心以紅、黑色漆填龍、鳳紋，寓“龍鳳呈祥”之意。中心作柿蒂形開光，内有刀刻填金的篆書“壽”字。圈足内髹朱漆，中心有刀刻填金的“大明嘉靖年製”直行楷書款。

現藏故宫博物院。

剔紅龍鳳葵瓣式盤

明

高3.2、盤徑18.8厘米。

盤口呈八瓣葵花形。盤内雕海水龍鳳圖，内壁每瓣均雕寶蓋，下垂雜寶紋，盤外壁雕八卦，足邊爲三角形錦紋。

現藏故宫博物院。

剔黑花鳥葵瓣式盤

明

高3.7、盤徑31.2厘米。

盤内雕兩隻綬帶鳥嬉戲于牡丹花叢中。

現藏日本東京國立博物館。

剔犀如意紋葵瓣式盤

明

高5.4、盤徑37.2厘米。

盤爲九棱形，盤内滿雕雲形如意紋。

現藏日本京都國立博物館。

填彩漆夔鳳紋葵瓣式盤

明

高3.3、盤徑27.2厘米。

木胎，呈葵瓣狀。盤以朱、黑、褐等色漆填刻花紋，上爲一夔龍，下爲三夔鳳，綫條宛轉，密布全盤，中心有一“壽”字。内壁六個開光内飾變體龍紋。

現藏中國國家博物館。

剔紅對弈圖橢圓盤

明

高3.2、盤徑長22.7、寬17.1厘米。

呈橢圓形，下附隨形圈足。内外均雕朱漆花紋，盤心雕二老者對弈于庭院中，盤壁内外黄漆素地上雕八種花卉紋。外底黑茶色漆地，左側刀刻填金“大明宣德年製”楷書款，其下隱約可見針刻小字“大明永樂年製”。

現藏日本東京東方漆藝研究所。

剔紅雙螭紋橢圓盤

明

高3、盤徑長24、寬17厘米。

呈橢圓形，下附隨形圈足。内外均雕朱漆，盤内橢圓形開光内雕二螭戲水圖，并綴以靈芝紋。内壁雕靈芝紋一周，外壁則雕纏枝俯仰花卉。足邊雕錦紋，外底髹黑漆。

現藏故宫博物院。

剔紅錦紋橢圓盤

明

高1.8、盤徑長17.3、寬9.3厘米。

呈橢圓形。通體雕朱漆，盤心滿飾八角小花錦紋、内外壁飾回紋錦。外底髹黑光漆。

現藏北京藝術博物館。

剔彩龍舟圖荷葉式橢圓盤

明

高3.5、盤徑長21.7、寬16.8厘米。

平面呈橢圓形，整體如同一張荷葉，邊緣弧曲宛轉，弧壁，矮圈足。髹朱、黄、綠等諸色漆，盤面底雕一艘龍舟正蕩漾在碧波之上，兩童子正撑篙前行，水面上荷花朵朵。盤壁上亦雕以蓮花、菰蒲及水禽。圈足内髹黑漆，上有“大明嘉靖年製”六字刻款。

現藏故宫博物院。

剔紅玉蘭翠鳥圖方盤

明

高2.2、口徑18.2厘米。

呈方形，下附矮圈足。盤内雕玉蘭花，并有小鳥栖息枝頭，下襯錦紋。内壁雕茶花及枝葉，外壁剔犀香草紋。足邊光素，外底髹黑漆。

現藏故宫博物院。

剔紅山水人物方盤

明

口徑27.7、高3.4厘米。

呈方形，斜壁、底部四角有矮垂足。盤內雕山水人物圖，下襯以三種錦紋。內外壁各四開光，內均雕花卉紋樣，四角亦刻錦紋。盤底髹黑漆。

現藏故宮博物院。

剔紅開光山水人物圖方盤

明

高5、口徑45厘米。

呈方形，斜壁、平底、圈足。盤內菱花形開光內雕山水人物圖，開光外錦紋地上雕折枝花卉，外壁爲剔犀雲紋。底髹黑漆，正下方仿刻“大明宣德年製”橫寫楷書款。

現藏故宮博物院。

剔紅五老圖方盤

明

高3、口徑17.9厘米。

呈委角方形，下附隨形圈足。盤內取《澠水燕談録·高逸》所載“五人年皆八十餘，康寧爽健，吟咏歡宴，相得甚歡”爲圖。內外壁雕朱漆花卉。足邊光素。底左側針劃“大明永樂年製”款。

現藏故宮博物院。

剔紅福字紋方盤

明

高3.1、長15.1、寬14.9厘米。

盤內雕正書“福”字、內壁四開光內雕龍紋，并以雜金珊瑚、火珠、犀角和方勝等物分隔。盤外亦爲四開光，其內回紋錦地上雕纏枝靈芝紋，開光外飾花卉錦紋。足雕連續回紋，足內髹黑漆，正中竪刻“大明嘉靖年製”填金楷書款。

現藏故宮博物院。

剔紅文會圖方盤

明

高4、口徑14.5厘米。

盤呈委角方形，附隨形圈足。內外皆髹朱漆，盤內開光內雕天、地、水錦紋，其上雕文會圖。內壁雕有四種不同的錦紋，其上則雕花卉紋。盤外壁飾剔犀雲紋、足邊雕回紋。盤內樓閣的影壁上陰刻“滇南王松造”款。

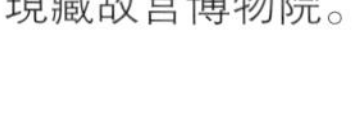

現藏故宮博物院。

剔犀如意雲紋方盤

明

高3.6、口徑21.8厘米。

盤口呈委角方形，由黑、朱二色漆以剔犀工藝雕製花紋，通體由四十個如意雲紋組成。

現藏安徽省博物館。

剔紅百花圖長方盤

明

高3.6、長36.3、寬23.6厘米。

呈長方形，斜壁，下附圈足。盤内滿雕各種折枝花卉，下襯菱形錦紋。外壁亦雕各種花卉。外底髹朱漆，正下方横刻“大明永樂甲午年製”仿款，款下刻乾隆御製詩一首。

現藏故宫博物院。

剔紅采藥圖長方盤

明

高2.8、長15.4、寬35.4厘米。

呈委角長方形，下附圈足。盤内長方形開光内雕采藥圖，内外壁朱漆素地上雕各種花卉。外底髹黑漆，中部靠下竪刻“大明宣德年製”款。

現藏故宫博物院。

剔紅竹林七賢長方盤

明

長40.3、寬26.8、高5.1厘米。

盤呈長方形，弧壁、大平底、圈足。盤內開光雕六方形、菱形錦紋，其上雕竹林七賢圖，外圍菱形錦地上雕折枝花卉。盤外壁黄漆素地上亦雕花卉。底髹黑漆，刻款“萬曆癸卯守一齋置”。

現藏故宫博物院。

剔紅竹林七賢長方盤内底

剔彩歲寒三友六方盤

明

高4.9、口徑28.8厘米。

盤心雕松竹梅“歲寒三友”，松枝裝飾爲“壽”字。四周雕一圈行龍。底部有“大明嘉靖年製”款。

現藏日本東京國立博物館。

剔彩龍鳳八方盆

明

高13.4、口徑22.2厘米。

呈八方形。外壁雕朱、黄、緑三色漆，八面壁上相間排列龍紋和聚寶盆紋，并于聚寶盆之上各雕一字，合爲“萬壽長生”。底正中竪刻“大明嘉靖年製”填金楷書款。

現藏故宫博物院。

剔紅穿花龍紋雙耳瓶

明

高36.2、口徑4.5厘米。

錫胎。瓶圓口、短頸，雙耳，扁圓腹、圈足。通體髹朱漆，腹部兩面橢圓形開光，内滿雕纏枝勾蓮花、菊花，二龍穿行花間。足内髹黑漆。

現藏故宫博物院。

剔黑花鳥紋梅瓶

明

高29厘米。

瓶口沿、足邊鑲銀扣。通體朱漆錦紋上雕黑漆，頸、肩部爲纏枝花卉，腹部作四海棠形開光，内飾花鳥紋，有鴛鴦戲水、綬帶蝴蝶和山石喜鵲，腹下部雕海水、海馬、麒麟、鯉魚等紋樣。

現藏故宫博物院。

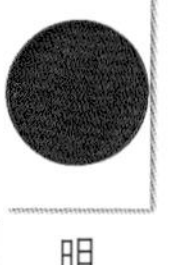

剔紅牡丹紋尊

明

高11.7、口徑16.7厘米。

通體髹暗紅色漆，口內外及腹部均在錦紋之上雕俯仰牡丹花紋，足部雕二方連續回紋。圈足內左側針劃“大明永樂年製”款。

現藏故宮博物院。

剔紅花卉蓋碗

明

高16、口徑20.2厘米。

通體黄漆素地上雕朱漆，圓形蓋鈕上雕靈芝紋，蓋面以鈕爲中心雕兩圈牡丹、石榴、茶花、菊花等花卉紋，碗腹亦雕花卉。上下口緣和圈足均雕二方連續回紋。碗内和足内髹黑漆，足内左側針劃竪行“大明永樂年製”款。

現藏故宮博物院。

剔犀雲紋小碗

明

高7、口徑10.6厘米。

器表髹黑、朱二色漆，漆層相疊十四層，外腹部雕十朵雲紋，足外沿刻二道弦紋，碗底刻香草紋。

現藏故宫博物院。

剔紅飛龍紋高足碗

明

高12.8、口徑16.8厘米。

碗外髹黑紅色漆，腹部雕二螭游戲于纏枝勾蓮花叢中，并以盤腸紋分隔二螭紋。碗內及足底髹黑漆，無款。

現藏故宫博物院。

剔紅花卉盞托

明

口徑13.7厘米。

黄漆素地上雕牡丹和菊花等花卉，盞托内髹黑漆。底部有“大明永樂年製”針劃款。

現藏日本大阪市立美術館。

剔紅花卉盞托

明

高11、口徑12.5厘米。

通體黄漆素地之上雕朱漆花卉，有菊花、牡丹、茶花、栀子花、石榴等。托内髹黑漆。足内右側針劃竪行“大明永樂年製”款識。

現藏故宫博物院。

剔紅雲龍紋盞托

明

高8.3、口徑13.1厘米。

通體在黃漆素地上雕朱漆花紋，托口外壁雕左行龍二，盤上面雕左行龍三，均作五爪式，并以黑漆點睛。盤背面和足外均雕靈芝形雲紋。器内髹黑漆，足内壁有刀刻填金“大明宣德年製”款。

現藏日本東京東方漆藝研究所。

剔犀雲紋執壺

明

高23.8厘米。

金屬胎。器表堆朱，間施兩道黑漆，通體隨形雕刻三種不同的雲紋。足底髹黑漆，正中刀刻“大明嘉靖年製”楷書款。

現藏日本東京東方漆藝研究所。

剔犀雲紋葫蘆式執壺

明

高17.4厘米。

金屬胎。呈葫蘆形，通體剔犀雲紋，黑面間露有紅綫。

現藏故宫博物院。

嵌螺鈿花鳥紋執壺

明

高35厘米。

錫胎，器身方形委角，下附方圈足。蓋面薄螺鈿嵌纏枝蓮紋，蓋鈕嵌五朵梅花。器身四面各有大、小開光，在黑漆地上嵌紅瑪瑙、綠松石、珊瑚及厚螺鈿構成花鳥圖案。柄、方流及足壁均嵌滿六角形錦紋。圈足内有篆書“千里”款。

現藏中國國家博物館。

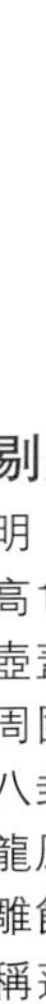

剔紅龍鳳紋瓜棱式壺

明

高15、口徑6.4厘米。

壺蓋圓形，鈕雕火焰紋，鈕周圍雕蓮瓣，蓋上雕祥雲、八卦。壺體有八開光，雕有龍鳳紋和雲鶴紋，柄、流均雕飾雲紋，口邊與足邊雕對稱蓮瓣紋。底髹黑漆，正中竪刻“大明嘉靖年製”填金楷書款。

現藏故宮博物院。

剔紅山水人物紋壺

明

通高13、口徑7.6厘米。

紫砂胎。通體髹朱漆。壺身四面開光，内有山水、人物、樂器等。肩部飾錦紋地雜寶紋。蓋面中有一蓮花形鈕，周圍亦飾雜寶紋。柄與流上飾雲鶴紋。底髹黑漆，隱約可見萬曆朝紫砂壺的製作名家“時大彬造”楷書款。

現藏故宮博物院。

剔紅歲寒三友筆

明

長28厘米。

筆杆雕人物于瀑布旁彈琴，周圍飾松、竹、梅。筆帽雕喜鵲立于梅枝上，寓意“喜上眉梢”。

現藏日本東京國立博物館。

剔犀雲紋筆

明

長20厘米。

由朱、黑二色漆雕飾而成，黑面間有紅綫，通體雕如意雲紋。

現藏故宮博物院。

百寶嵌花卉方筆筒

明

高15.3、口徑15.3厘米。

筒口沿呈方形委角。通體髹黑漆地，用象牙、玉石、椰木、螺鈿等物在四面嵌成四季花蝶圖案。

現藏故宮博物院。

剔紅梅花筆筒

明

高14.4、口徑11.4厘米。

呈圓形筒狀，底有月牙形三矮足。筒身雕梅花兩株，下襯朱漆水紋錦地。筒內及底髹黑漆。

現藏故宮博物院。

纏枝蓮紋嵌螺鈿洗

明

高7.8、口長38.5、寬21.7厘米。

洗口橢圓，内有隔斷。内、外均髹黑漆地，滿嵌螺鈿花紋。内底兩段開光，中嵌折枝牡丹紋，洗内斜壁上嵌纏枝蓮花。外壁嵌勾蓮紋，外底橢圓開光内嵌纏枝菊花紋。

現藏故宫博物院。

紅漆戧金八寶紋經文挾板

明

高3.3、長73、寬26.7厘米。

此經板兩片爲一幅，正面用起地方法，雕出周邊綫條。板内施黑光漆，板刻陰文經名，右爲藏文，左爲漢文“華嚴經第三卷大方廣佛華嚴經”。

現藏日本東京東方漆藝研究所。

剔彩開光雙鳳小櫃

明

高24.9、長24.5、寬18.5厘米。

櫃呈長方形，下連須彌座，前設下插式門，兩側有銅鍍金提環，内有大小屜十個。各面均髹黄、緑、朱三層漆，雕開光雙鳳勾蓮紋，其上各有一字，合爲“萬壽福禄長”。開光外四角爲雜寶，共二十種。屜面亦飾雙鳳。

現藏日本東京東方漆藝研究所。

嵌螺鈿贈馬圖長方几面

明

長44.5、宽41.9厘米。

几面長方形。通體髹黑漆，嵌螺鈿花紋，几面取三國曹操贈馬予關羽的故事爲圖。

現藏日本東京東方漆藝研究所。

黑漆描金樓閣人物屏風

明

高52厘米。

屏風兩面髹黑漆，正面描金繪樓閣人物，背面描書蘇東坡《後赤壁賦》。正面右側樓閣上有“萬曆庚子歲”銘記，萬曆庚子爲萬曆二十八年（公元1600年）。

現藏日本大阪市立美術館。

剔紅樓閣人物座屏

明

高47.7、寬32.3厘米。

呈長方形，上部兩委角。兩面均取西漢宣宗時京兆尹張敞“走馬章臺街”的故事而雕樓閣人物圖。

現藏日本東京東方漆藝研究所。

金漆花卉紋圓盒

清

高11.5、口徑12.7厘米。

盒呈圓形，下附矮圈足。通體髹金漆地描兩色金花紋，并以黑漆勾勒輪廓和紋理。盒内朱漆灑金地。盒底金漆，正中飾折枝雙桃紋，上刻“雍正年製”橫款，款内填灰漆。

現藏故宫博物院。

剔紅海獸紋圓盒

清

高6、口徑15厘米。

蓋與盒身以子母口扣合。通體朱漆雕流水桃花紋，兩面又各雕三海獸跳躍于波濤之中。盒内髹黑光漆。蓋内中心刀刻填金“大清乾隆年製”三豎行楷書款。

現藏故宫博物院。

剔紅雲龍紋圓盒

清
高7.2、腹徑15.4厘米。
扁圓形，子母口扣接，上下對開，兩面均雕飾朱漆雲龍紋。內底與蓋有刀刻填金楷體“大清乾隆年製”、“雲龍寶盒”對應款。
現藏遼寧省旅順博物館。

剔紅嬰戲圖圓盒

清
口徑14.2厘米。
鉛胎。通體雕朱漆通景嬰戲圖。蓋、底兩面紋飾相同，雕庭院中童子燃鞭炮、騎竹馬、相撲、奏樂、五子奪魁等景，盒壁則雕童子鬥蟋蟀、捉迷藏等景。盒內髹黑光漆，內底中心刀刻填金楷書“大清乾隆年製”雙直行款，蓋裏中心刀刻填金“百子寶盒”款。
現藏故宮博物院。

戧金彩漆吉祥圓盒

清

高13、口徑29厘米。

通體填黃、緑、墨緑、黑等彩漆戧金花紋。蓋面髹朱漆地，圓形開光内飾菊花錦紋，中心填一“卍”字，周圍飾八寶紋。盒内、外底髹黑光漆。足内正中刻“大清乾隆年製”楷書填金直行款，下刻楷書“吉祥圓盒”四字。

現藏故宫博物院。

描金彩漆喜相逢圓盒

清

高7.6、口徑13.8、足徑9.8厘米。

通體髹黑漆地，以朱、黃、緑、灰白、藍等色漆彩繪描金花紋。蓋面飾雙蝶喜相逢圖，蓋、器壁飾雙蝶團紋。盒内及外底皆髹黑光漆并灑金。

現藏故宫博物院。

描彩漆雙龍戲珠紋圓盒

清

高7.5、通徑18.5、環徑5.5厘米。

由蓋與盒以子母口相扣合，并以銅鈕銅扣相接而成。通體髹黑漆地，以朱、黃漆描繪雙龍戲珠紋。

現藏南京博物院。

識文描金銀福壽紋圓盒

清

高12.8、口徑38.2厘米。

通體紫漆灑金地識文描金、銀、紅三色花紋。蓋面如意雲形開光，正中一團“壽”字，周圍雙喜字，開光外五蝙蝠，外圈飾各種花卉。盒壁飾仙鶴、壽桃、靈芝等紋。盒内及外底皆紫漆地灑金。

現藏故宫博物院。

描金彩漆壽字圓盒

清

高13、口徑53.4厘米。盒面作圓壽字形。通體黑漆地，并以朱、黄、緑、赭等色漆彩繪描金花紋，飾以仙鶴纏枝蓮紋和二十四個异體壽字。盒内另附二十個隨形盤。盒底髹黑光漆。現藏故宫博物院。

描金彩漆折枝花圓盒

清

高15.5、口徑38.5厘米。盒作圓形，下附矮圈足。通體髹紫色漆地，飾彩漆描金折枝花卉紋。盒内髹朱漆。足内髹黑光漆。現藏故宫博物院。

嵌螺鈿團花圓盒

清

高10.4、口徑25.4厘米。

盒體圓形，下附矮圈足。通體髹黑漆地并嵌厚螺鈿花紋。盒内朱漆描金攢盤，中間小圓盤内繪團壽字，四小盤内繪蝙蝠紋。外底髹黑漆。

現藏故宫博物院。

填漆花卉紋圓盒

清

高10.8、口徑26厘米。

由蓋與盒身相扣合而成，以銅鍍金包口緣，下附矮圈足。盒外髹朱漆地，填黑漆飾勾蓮紋。足外壁飾回紋。盒内、外底髹黑光漆，光素無紋。

現藏故宫博物院。

描油蝶紋圓盒

清

高7.5、口徑14厘米。

圓形，子母口，圈足。蓋面作圓形開光，內以白、藍、紫、紅、褐等色彩油描繪左、右相對，振翅欲飛的雙蝶，蝶翅上施金色小圓點。

現藏故宮博物院。

描油蝶紋圓盒蓋面

山水八仙圖圓盒

清

高7.2、口徑23.1厘米。

作圓形，底徑略大于口徑，盒外通身爲金屑粉漆地，上施彩繪山水八仙人物圖案。盒立墻繪荷花、荷葉。盒內施黑色退光漆，盒底有“大清乾隆年製”楷書款。

現藏中國國家博物館。

戧金彩漆龍鳳紋圓盒

清

高7.3、口徑22.5厘米。

通體髹橙黄色漆地，填朱、黄、藍、灰、黑、緑等色漆并戧金飾花紋。蓋面邊緣飾一周回紋，内飾龍鳳戲珠圖案。盒壁飾彩漆團花捲枝紋。盒内及外底均髹朱漆。

現藏故宫博物院。

黑漆描金祝壽圖攢盒

清

高10.2、口徑47厘米。

通體黑漆地描金花紋，蓋面繪祝壽圖，周圈飾花卉彩蝶紋，盒壁飾描金花草紋。盒内、外底均髹朱漆。内附畫珐琅盤十二個。

現藏故宫博物院。

黑漆描金雲龍紋圓盒

清

高19、口徑37.2厘米。

盒作天蓋地式，下附四工字形雲紋足。通體髹黑漆地，施彩金象描金花紋。蓋面飾雲龍紋，中心爲“乾隆年製”楷書描金雙行款。蓋壁四開光，內飾花卉紋。盒內置八個雙層形屜匣，并罩玻璃面，匣中心爲中空圓筒狀，內設暗機關可控制屜匣開合。匣內置五個小筒形盒，皆飾描金花蝶紋。

現藏故宫博物院。

剔紅海水游龍紋圓盒

清

高9.6、口徑7.9厘米。

盒作天蓋地式。蓋面與立壁均朱漆雕海水游龍紋，蓋面一龍，壁一周四龍，皆以螭紋邊括之。足内髹黑光漆，中心刀刻填金“乾隆年製”雙竪行楷書款。

現藏故宫博物院。

剔紅山水人物圖瓣式盒

清

高25.4、腹徑42.5厘米。

盒作八瓣形。通體剔朱漆花紋，蓋面雕山水人物圖，盒壁上、下各雕八游龍戲珠于波濤中。蓋面上方有“大清乾隆年製”款。

現藏南京博物院。

春字壽星蓮瓣形盒

清

高7、口徑11.5厘米。

呈六瓣蓮花形，小平頂蓋。通體髹黄褐色漆爲地，以紅、绿、黑等色漆填飾花紋。小平頂蓋作立瓣式開光，内有雙龍拱圍，置于聚寶盆上的“春”字中心又有圓形小開光，内端坐一壽星。開光四周的蓮瓣又有蓮瓣形開光，内飾游春人物。盒立墻飾樹葉狀紋樣。底中内髹黑漆，中心刀刻填金楷書“乾隆年製”雙行直款。

現藏故宫博物院。

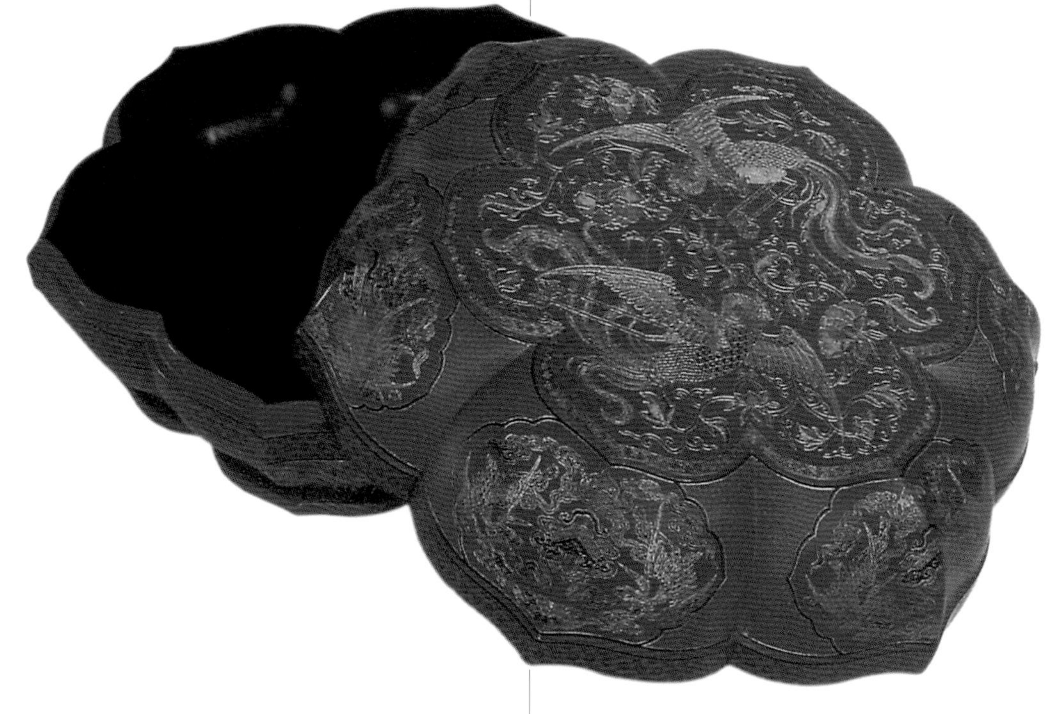

戧金彩漆雙鳳紋菱花盒

清

高15、口直徑32.5厘米。

盒呈六瓣菱花形。通體髹朱漆地，彩繪戧金錦紋。蓋面飾雙鳳纏枝花紋，蓋壁花瓣各一開光，内飾雲鶴銜磬紋。盒内與足底皆髹黑漆，足内刀刻填金楷“大清乾隆年製”直行款，下刻“菱花鳳盒”器名。

現藏故宫博物院。

戧金彩漆雲龍紋菊瓣式盒蓋面

戧金彩漆雲龍紋菊瓣式盒（左二圖）

清

高18.2、口徑45.3厘米。

盒作菊瓣式，下附隨形圈足。通體朱漆地，填黄、緑、墨緑、紫、赭等色漆飾花紋。蓋面墨色回紋開光，内飾五雲龍紋。蓋壁飾十六組游龍戲珠紋，器壁飾雲水紋，上下口緣飾雲蝠紋。盒内、外底皆髹黑光漆。

現藏故宫博物院。

填漆戧金雲龍紋菊瓣式盒

清

高19、口徑45.8厘米。

蓋與器身子母口扣接。蓋平面花邊，上下菊瓣形，圈足。通體赭黃色地，以紅、綠色漆嵌花紋，再于圖案輪廓及花紋上勾劃陰綫戧金。

現藏遼寧省旅順博物館。

描漆花卉紋葵瓣式盒

清

高7.8、口徑22.5厘米。

盒作八瓣葵花式，蓋中部有一葵瓣形鈕。通體橘紅色漆地，繪折枝花卉紋。盒內及外底髹黑漆。

現藏故宮博物院。

犀皮漆葵瓣形盒

清

高9.5、口徑43厘米。

盒作葵瓣形，下有六足。通體用犀皮技法，以黄、褐二色漆髹成。蓋面邊緣飾一周黑漆條帶，盒内髹黑光漆。

現藏故宫博物院。

描金番蓮團花紋葵花攢盒

清

高11.4、直徑38.8厘米。

蓋與器身子母口扣接，底有垂雲四足。通體髹黑漆作地。蓋面葵形，起窄邊廓，嵌九個内繪蕃蓮團花玻璃：正中爲菱花形，邊飾描金八蝠；餘爲圓形，間飾描金勾蓮紋。

現藏遼寧省旅順博物館。

嵌螺鈿嬰戲如意雲式二層盒蓋面

嵌螺鈿嬰戲如意雲式二層盒

清

高7.1、口徑9.5厘米。由蓋、中層和盒底三部分組成，呈如意雲式。通體髹黑漆地，嵌薄螺鈿間貼金花紋，蓋面飾嬰戲圖，盒壁飾錦紋。盒內黑漆灑金、底髹黑漆。現藏故宮博物院。

脱胎朱漆菊瓣式盒

清

高9.6、直徑15.2厘米。

通體呈菊瓣形，髹紅珊瑚色漆，色澤潤亮。蓋與器身子母口扣接，圈足，足底髹黑光漆，正中有“乾隆年製”篆書款，繞款環列隸書御製五言律詩一首。

現藏遼寧省旅順博物館。

描彩漆嵌玉六瓣盒

清

高7、口徑20.2厘米。

蓋面嵌明晚期製作的鏤空玉片，有龍紋、鹿紋和花卉紋等。餘地皆描金彩漆繪花紋，盒壁飾勾蓮紋。

現藏故宮博物院。

識文描金海棠形攢盒

清

高10.6、口直徑30厘米。

盒作四瓣海棠形，内設白玉隨形屉盤。内、外均灑金，蓋面飾描金銀桃實、佛手、石榴等花紋，寓取多福、多壽、多子之意。盒壁飾桃鶴紋。

現藏故宫博物院。

描金彩漆花鳥紋六瓣攢盒

清

高10、最寬35.2厘米。

盒作六瓣花形，下附雲形鍍金足。通體髹紫色退光漆地，飾彩漆描金花鳥紋。盒内髹朱漆，并以金漆描七盤口沿。足底髹黑光漆。

現藏故宫博物院。

識文描金花蝶紋八方盒

清

高16.7、口徑38.8厘米。

盒作八方形，下附隨形圈足。盒壁上下各有金絲編織透空八開光。外髹金漆地，識文描金、描朱，黑色漆飾八團“壽”字及蝙蝠、蝴蝶、瓜果紋。盒内髹朱漆，底髹黑漆。

現藏故宫博物院。

填彩漆錦紋八角三層盒

清

高24.2厘米。

盒作八角式，共三層。通體黑漆地，以朱、黄、緑等色漆填飾花紋。蓋面嵌一周銅鍍金托，内飾碧玉八卦，中心嵌碧玉河馬負圖。盒内及外底髹黑光漆。

現藏故宫博物院。

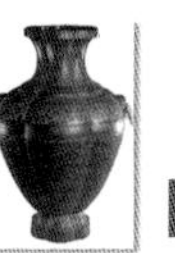

剔紅十二辰盒

清

高13.5、直徑27.3厘米。

蓋面髹黑漆勾蓮錦地，剔紅十二辰及各體壽字。盒壁陰刻填金御題“效仇遠十二辰體詠金川事”，署款“乾隆乙未孟夏月中澣御製”，鈐“比德”、“朗潤”二璽。

現藏天津博物館。

嵌螺鈿描彩漆十六角攢盒

清

高17、口徑49厘米。

盒作十六角式，下附隨形圈足。通體黑漆地描彩漆間嵌螺鈿花紋。蓋面正中飾團蝠紋，周圍以描漆與嵌螺鈿相間飾十六异體壽字，字邊彩漆繪蓮花一周，并以螺鈿爲花心。盒壁飾雙螭捧“壽”。盒内置攢盤。蓋内飾菊花、雲蝠和團壽紋。

現藏故宫博物院。

剔犀如意雲紋方盒

清

口徑17、高12.3厘米。

正方形，下有隨形圈足。通體髹黑、朱二色漆，雕飾如意雲形紋。黑面，花紋側面露規整的三層紅綫。盒底髹黑漆，正中刀刻填金“大清乾隆年製”楷書直行款，下刻“如意雲盒”器名款。

現藏故宮博物院。

識文描金暗八仙方盒

清

高7.5、口徑28厘米。

盒作委角方形，内置銀製屉盤。通體灑金地。蓋面飾暗八仙紋，中心飾描金彩漆五蝠捧壽圖案。盒邊壁飾蝠和壽紋。

現藏天津博物館。

描油錦紋委角方盒

清

高6.5、邊長22.4厘米。

盒呈委角方形，作天蓋地式，底邊四角附雲形垂足。蓋面飾錦紋，四壁開光內有百合、菊花等折枝花卉。盒內附檀香木雕花屜，上有兩槽，可盛册頁。

現藏故宫博物院。

嵌螺鈿葵花形盒

清

高7、盒面長22.8、寬17厘米。

作四瓣葵花形。蓋面用殼條嵌出六瓣葵花形開光，內飾六種錦紋，嵌博古圖和菊花圖各三，開光外周圈飾八蝠。盒壁四面開光，內飾山水圖。盒內上下及外底各嵌佛手、菊花、海棠等折枝花卉一簇。

現藏故宫博物院。

百寶嵌雙蝶漆方盒

清

高5.5、口徑12厘米。

盒爲花邊方形。蓋面紫朱漆地上嵌青金石、螺鈿、孔雀石、玻璃、紫晶、青玉、珊瑚、染牙等組成雙蝶對舞圖，寓取喜相逢之意。盒壁金泥地留紫漆作纏枝蓮紋。

現藏故宫博物院。

彩繪描金花果紋包袱長方形漆盒

清

高12、長20.5、寬10.5厘米。

造型作長方形盒外繫錦袱式。“盒”爲黑漆地并描金飾折枝佛手、桃實，“包袱”則用“壽”字菊花錦紋。

現藏故宫博物院。

戧金彩漆雲鶴紋長方盒

清

高13.9、長38.4、寬23.1厘米。

盒呈委角長方形。通體髹朱漆地，并以黄、緑、黑等色漆填飾花紋。蓋面彩漆錦地上飾彩漆戧金仙鶴和團壽字，間以流雲紋，中心飾蝙蝠、磬紋及“壽”字紋。盒裏及足内髹黑光漆，足内上緣刻横寫“大清乾隆年製”楷書填金款，下有雙行“八仙長盒”楷書款。

現藏故宫博物院。

戧金彩漆雲鶴紋長方盒蓋面

戧金彩漆鶴鹿長方盒

清

高10.5、長44.3、寬26.7厘米。

盒呈委角長方形。通體髹朱漆地，彩漆戧金花紋。蓋面開光内飾“卍”字錦紋和菊花方格錦紋，以表示天和地，上飾鶴鹿同春圖。盒裏及足内髹朱光漆，足内上緣刻横寫“大清乾隆年製”楷書填金款，下有雙行楷書“鶴鹿長盒”款。

現藏故宫博物院。

紫漆描金花卉長方盒

清

高22.8、長39.4、寬23.8厘米。

盒呈委角長方形，下附矮圈足。通體髹紫色漆地，彩繪描金花紋。蓋面飾竹枝、葫蘆及蝴蝶紋。盒壁四面長方形開光，内飾纏枝葫蘆花蝶紋。盒内及外底髹黑光漆，足内中部刻“乾隆年製”楷書填金横行款。

現藏故宫博物院。

剔彩錦紋長方盒

清

高12.8、長32.2、寬20.6厘米。

由蓋和器身扣合而成，平面呈長方形，蓋直壁，平頂。器身直壁，下設曲足。上髹黄、緑、紫等色漆，通體雕六角形格，格内刻螭虎、蝙蝠、松鼠、瓜瓞，寓意“福壽綿長”。

現藏故宫博物院。

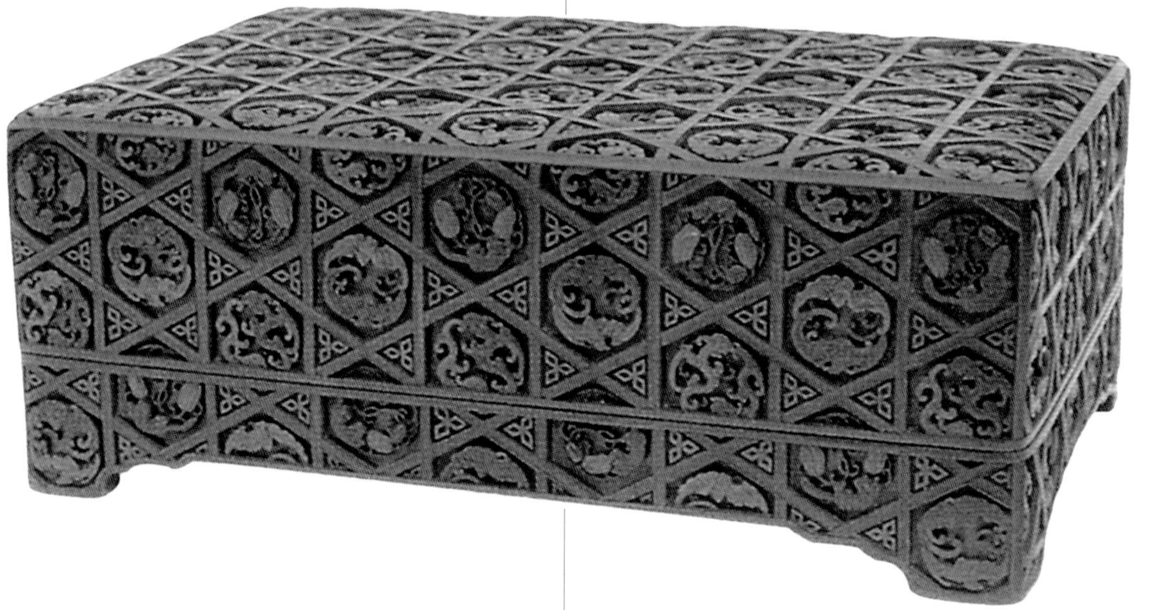

金漆木雕人物花鳥紋八寶匣

清

高11、長35、寬19厘米。

匣身用整木雕成，内平分八格，分别雕桃、榴、菊、梅等花果，飾以金箔。蓋面黑漆地上以金漆淺刻修竹及詩句、印款。正面嵌貼金透雕人物、花鳥；左、右兩面浮雕花鳥、雜寶等。

現藏廣東省博物館。

描金彩漆花鳥紋長方盒

清

高11、長32、寬15.6厘米。

木胎。通體髹緗色漆地，用朱、淡紫、淡緑、銀灰等色漆繪花紋，并描金勾勒花紋輪廓及紋理。蓋面飾桃花、月季、一雙雉鷄和山石，四壁飾梅、竹紋。盒裏爲黑漆灑金地。蓋内貼清宫黄紙簽，上書“福建福州府工人沈紹安製”。

現藏故宫博物院。

戧金彩漆花籃圖銀錠式盒

清

高7.5、長21.5、寬17.8厘米。

盒作銀錠式。通體髹紫色漆，陰刻戧金“卍”字錦紋。蓋面以“工”字紋爲邊，中心飾花籃圖。盒壁飾團壽字二十四個。盒裏及足内髹黑光漆。

現藏故宫博物院。

描金避暑山莊百韵册頁盒

清

高10、長25、寬16.2厘米。

木胎。作長方形，由蓋、身扣合而成，平頂，直壁，平底。除蓋面上部中央作斜方格菊花紋錦地，上楷書“御製避暑山莊百韵”款外，通體上用稠漆堆起紋樣，其中蓋面裝飾以蓮花承托八寶圖案，立墻作纏枝蓮花紋。

現藏故宫博物院。

剔紅秋蟲楓葉式盒

清

高8.5、徑13.5厘米。

盒作楓葉式，隨形底座。通體飾細密錦紋地，并雕出葉脉，有秋蟬、蟈蟈伏于葉上。盒内髹黑漆，刻“大清乾隆年製”楷書款。

現藏故宫博物院。

識文描金瓜形盒

清

高9.5、盒口長21.3、寬16厘米。

盒外爲金漆地，圖案乃用漆灰堆起後再貼金或描金。盒裹爲黑漆灑金。

現藏故宫博物院。

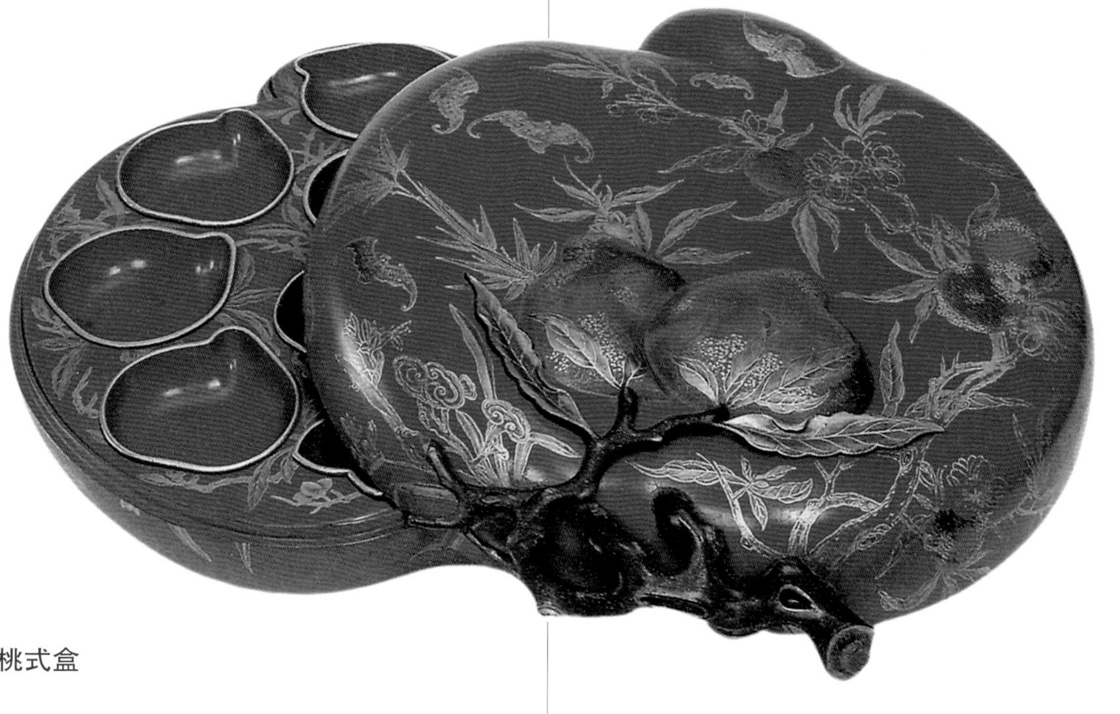

描金桃式盒

清

高18、最大徑55.5厘米。

盒作桃形，蓋面亦凸起雙桃并附枝葉。通體朱漆地，描金間緑漆繪花紋。蓋面與盒壁飾通景的桃樹、竹枝、蘭草、靈芝及蝙蝠等紋。盒内附九個桃式盤、一個花式盤，面飾桃樹花紋。

現藏故宫博物院。

剔紅八仙慶壽磬式盒

清

通高19.4、長39.5厘米。

盒作磬式，下附隨形底座。通體雕朱漆花紋，盒面飾八仙慶壽圖。盒内置四描油漆盒。

現藏故宫博物院。

剔紅錦紋書式盒

清

高6、長19.7、寬12厘米。

盒作書函式，雕回紋錦地。蓋面錦紋上雕團壽、團螭紋，兩端嵌象牙邊框，左側面雕出牙簽。盒內髹黑漆。

現藏天津博物館。

嵌骨山水人物紋長方匣

清

面長33.2、寬19厘米。

匣體作長方形，皆髹黑漆，用骨片嵌飾花紋。蓋面飾兩組山水人物圖，乃取加官進祿圖意。盒壁飾折枝花卉紋。

現藏故宮博物院。

黑漆描金花卉提匣

清

通梁高37.5、長45、寬30厘米。

匣作長方形，提梁與蓋面之間有一銅栓穿連。通體髹黑漆地，施彩金像描金花紋，提梁飾皮球花及蔓草紋，底座飾纏枝花草紋。匣内爲多寶格式，置紫漆素面盒、盤、壺、碗、碟等二十六個。

現藏故宫博物院。

描金松石藤蘿紋圓盤

清

高5.2、盤徑34.1厘米。

内、外皆髹黑光漆地。盤内以施彩金像描繪松、石、藤蘿及花卉紋，外壁飾過枝藤蘿。足内中心刀刻填金楷書“乾隆年製”竪行直款。

現藏故宫博物院。

描金雲山樓閣圓盤

清

高3.7、盤徑22.3厘米。

通體黑漆地，描金花紋。盤心爲雲山樓閣圖，邊飾一周蓮瓣紋，外圈飾鳳鳥花卉，口沿飾變形如意紋。外底飾“卍”字紋及變形石榴紋，外壁飾夔龍紋。

現藏上海博物館。

描金雲山樓閣圓盤盤心

描金雲山樓閣圓盤盤底

描金雲龍圓盤

清
高5.2、盤徑28厘米。
內外皆髹黑漆地并描金花紋。盤心回紋開光，內描金間朱漆，繪五龍紋及雲紋、水紋。開光外飾一周纏枝蓮紋。盤沿塗金，盤後繪一周纏枝蓮，內飾雲鳳紋。
現藏故宮博物院。

描金彩漆宴樂圖圓盤

清
高1.7、盤徑13.3厘米。
木胎。通體髹朱漆。盤內彩漆描金繪宴樂圖，盤外及底部則光素無紋。外底有黃漆“雲二”二字款。
現藏南京博物院。

罩金漆花卉詩句盤

清

高2.9、口徑19.2厘米。

通體髹黑漆地，罩金漆描金花紋。盤心飾月季花及十四字竪寫詩句，盤邊飾書卷、羽扇、葫蘆等物，間以花卉錦紋。盤外髹黑光漆。

現藏故宫博物院。

嵌螺鈿人物圓盤

清

高1、徑12.3厘米。

敞口，淺腹平折沿，平底内凹。通體髹黑漆，嵌薄螺鈿花紋，内飾仕女游樂圖。

現藏故宫博物院。

描金彩漆佛日常明盤

清

高3.3、口徑16.3、足徑9.2厘米。

盤口圓形，下附矮圈足。盤外髹黄漆地。以朱、黄、緑等色漆彩繪勾蓮紋及四圓形開光，開光内髹紫漆地，紅花錦紋上填描金“佛日常明”四字。圈足内髹黑光漆，正中有雙方圈楷書填金“乾隆年製”雙行款。

現藏故宫博物院。

朱漆菊瓣式盤

清

高3.7、口徑16.6厘米。

脱胎。盤邊作菊瓣形，下有隨形圈足。内外皆髹一色朱漆，素面。内底刀刻填金隸書乾隆甲午御題詩一首，計有五十八字。外底髹黑漆，正中刀刻填金“大清乾隆仿古”楷書款。

現藏故宫博物院。

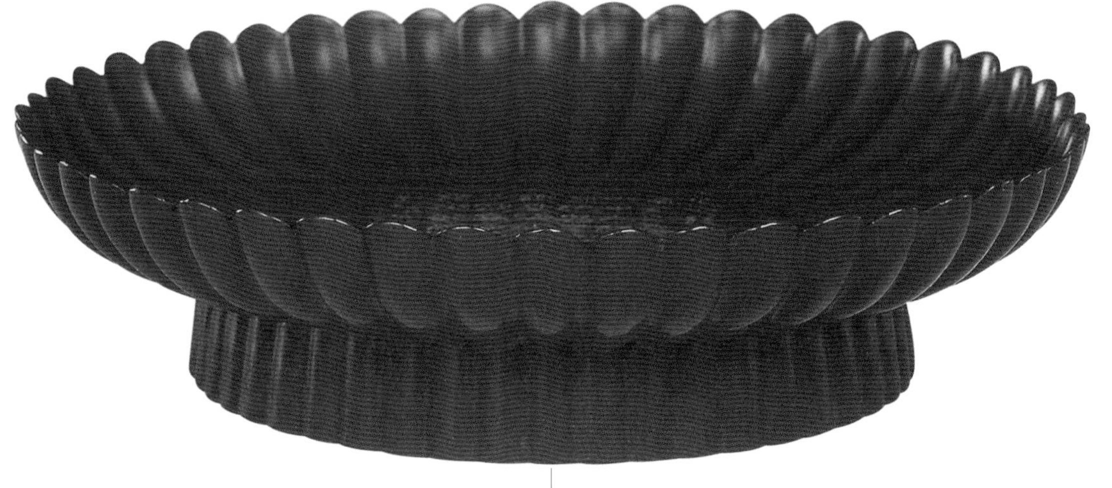

描金彩漆四喜蓮瓣式盤

清

高4.3、盤徑34.7厘米。

盤邊作蓮瓣式，下附矮圈足。內外皆朱漆地彩漆描金花紋，盤心飾四鵲登枝圖，內、外邊均飾纏枝花卉紋。足內髹黑光漆，正中刻“乾隆年製”楷書填金雙行款。

現藏故宮博物院。

黑漆描金花卉菊瓣盤

清

口徑27.7、高3.7厘米。

盤邊菊瓣式，下附矮圈足。通體髹黑漆地彩金象描金花紋，并以朱漆勾紋理。盤心花卉開光內飾花卉及八寶紋，內、外邊飾描金花卉，足內髹黑漆地描金折枝花卉紋。

現藏故宮博物院。

嵌螺鈿渡河圖葵瓣式盤

清

高1.2、徑12厘米。

盤口作葵瓣式，并鑲銀邊。內、外皆髹黑漆。盤內葵瓣式開光，內嵌薄螺鈿并貼金飾渡河圖，陪襯以松石小景。

現藏故宮博物院。

描漆蓮紋瓣式盤

清

通高3.8、口徑最寬處28.2厘米。

呈四瓣花式。通體髹黑漆爲地，盤心用金漆作與外形相同的四瓣式開光。開光内中心以蓮花及枝蔓構成菱形圖案，四角各襯蓮花一朵。開光外的邊沿也繪以蓮花。蓮花紋均以朱、紫、褐等色彩漆描成，然後用金勾紋理。

現藏故宮博物院。

填彩漆荷葉式盤

清

高16、長25厘米。

盤作邊緣翻捲的荷葉形，下附矮圈足。通體髹黑漆地，填飾朱、黄等色漆花紋。盤内外紋飾、顏色皆相同，作變形荷葉狀。

現藏故宮博物院。

罩漆山水人物長方盤

清

高6.6、長50.3、寬31厘米。

呈委角長方形狀。盤心開光，黑漆地，裝飾描金山水畫一幅，上題七言絶句一首，盤内沿立墻亦作開光，紅漆地上描金繪梅、蘭、石榴、月季等花紋。底部以朱漆書寫“完初張置”款識。

現藏故宮博物院。

戧金彩漆雙鳳長方盤

清

高3、長30、寬19.5厘米。

盤呈折角長方形，下附矮足。内髹朱漆，填飾菊花錦紋，以朱、黄、緑、黑等色漆填飾雙鳳捧壽、紅蝠和“卍”字圖案。盤外髹黄漆地，填彩漆戧金八寶彩雲紋。足内髹朱漆，上方邊緣刻横寫“大清乾隆年製”楷書填金款，下有楷書“萬福鳳盤”四字。

現藏故宫博物院。

戧金彩漆雙鳳長方盤内底

剔犀長方盤

清

高4.6、長42.9、寬23.9厘米。

長方形，委角，圓邊，斜壁，平底，淺圈足。通體用黑、紅兩色漆相間髹飾，漆層肥厚，盤邊髹紅漆，采取“烏間朱綫”的做法。

現藏遼寧省旅順博物館。

描彩漆雲龍雙圓盤

清

高1.4、盤口徑28、寬15.7厘米。

盤作雙圓交連式，内外皆髹橘紅色漆地。盤内以彩漆描繪雲龍紋及團壽字紋。腰部一側有“雍正年製”描金楷書款。

現藏故宫博物院。

描金花蝶紋斑竹欄橢圓盤

清

高3.3、長35.2、寬24.8厘米。

盤作橢圓形，周圈斑竹欄杆，平底下有六骨製乳足。盤內髹黑漆地，以紅稠漆堆起，其上再描兩色金花紋，飾折枝花卉和彩蝶等。

現藏故宮博物院。

黑漆描金開光山水雙方勝式盤

清

高3.7、長36.7、寬19厘米。

通體髹黑漆地，施彩金像描金及灑金地花紋。盤外飾菊花、梅花、牡丹、蘭花及石竺等團花紋。盤底髹黑光漆，描金折枝花紋并描朱漆紋理，外底中心有雙方圈“乾隆年製”楷書描金雙行款。

現藏故宮博物院。

戧金彩漆壽春束腰盤

清

高2.1、長17、寬13.8厘米。

盤作委角束腰式。通體髹黄漆地，填朱、黄、緑、草緑、黑等色漆飾花紋。盤心“春”字上部圓形開光内飾壽星圖案，盤内、外邊飾雲蝠紋。外底髹黑光漆。

現藏故宫博物院。

脱胎漆桃盤

清

高66.7、口徑53厘米。

盤爲脱胎製成。通體髹彩、金漆。下爲底座，作壽山福海狀；中有鰲負荷葉形盤；盤内盛放桃及枝葉。器底有“沈正鎬”圓形印，乃福建沈氏代表作之一。

現藏上海博物館。

描彩漆花鳥紋圭形盤

清

高1.8、長31.4、寬18.5厘米。

盤作圭形。通體髹朱漆地，描彩漆花紋，盤内爲花鳥紋。外底髹黑漆，中部刀刻楷書填金“大清雍正年製”直行款。

現藏故宫博物院。

剔紅山水人物紋瓶

清

高32厘米。

通體朱漆雕花紋。腹部四開光，内飾琴棋書畫、山水、人物圖案，口、頸及圈足邊沿則雕回紋、蕉葉紋和勾蓮紋等。

現藏廣東省博物館。

剔紅開光山水人物蒜頭瓶

清

高50厘米。

瓶口作蒜頭式，細長頸，碩腹，矮圈足。通體錦地上雕朱漆花紋。腹部上下層八面開光，内雕山水人物圖。頸上部飾夔紋，下部飾纏枝花卉。

現藏天津博物館。

黄漆墨彩秋山晚景梅瓶

清

高27厘米。

瓶内外皆髹橘黄色漆地，外繪墨彩秋山晚景圖，上部山石聳立，山脚下水榭二座，有一扶杖老者行于路上。圖上墨題："秋山晚景。時在壬辰春三月，白雲山人摹古畫法，公壽作。"

現藏故宮博物院。

描金彩漆花卉壁瓶

清

高23.4厘米。

壁瓶作四棱形。頸部兩側嵌金漆雙象首耳，下附金漆花卉底座。頸部繪一墨蝶，腹部緑漆描金繪一株菊花，間有葦草紋。

現藏故宫博物院。

描金彩漆鳳牡丹長頸瓶

清

高27.6厘米。

瓶内描金漆裏，外髹黄漆地，并以朱、黄、緑、藍、黑褐等色漆彩繪描金鳳繞牡丹圖。瓶下附紫檀木座。

現藏故宫博物院。

黄漆佛手式花插

清

高18厘米。

花插作佛手形，皆髹黄漆，下連佛手及枝葉組成的底座，髹緑漆。此花插爲福建沈氏之作。

現藏故宫博物院。

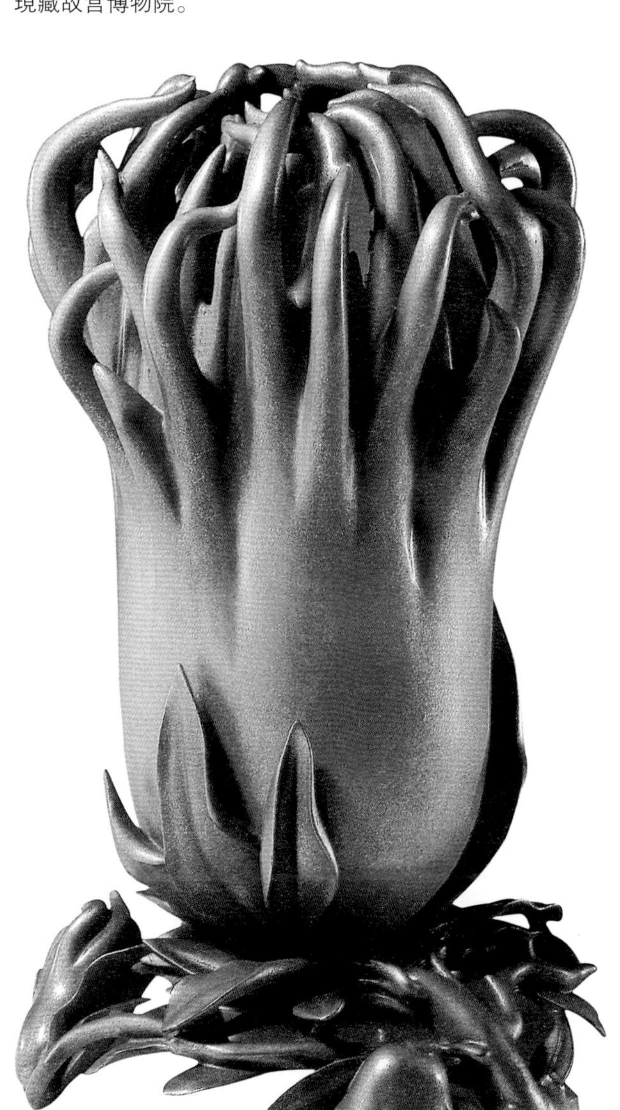

彩漆荷葉式瓶

清

高98厘米。

瓶以脱胎漆製成。瓶體髹緑金色漆，作荷葉向上捲收狀；口沿亦呈翹曲外捲的荷葉狀；瓶底以三片捲曲而支立的荷葉爲足座，其間飾淺紅色荷花和花蕾，并以荷葉點綴。此瓶爲福建沈正鎬所製。

現藏福建博物院。

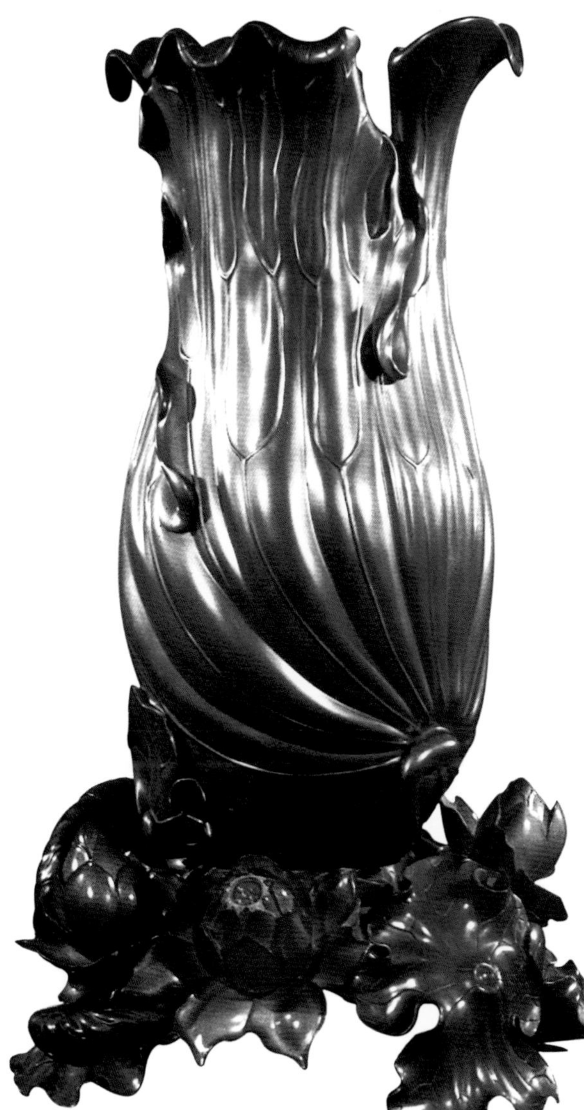

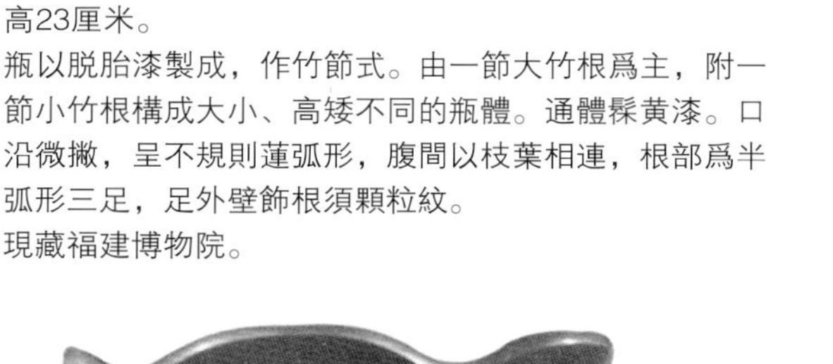

黄漆竹節式瓶

清

高23厘米。

瓶以脱胎漆製成，作竹節式。由一節大竹根爲主，附一節小竹根構成大小、高矮不同的瓶體。通體髹黄漆。口沿微撇，呈不規則蓮弧形，腹間以枝葉相連，根部爲半弧形三足，足外壁飾根須顆粒紋。

現藏福建博物院。

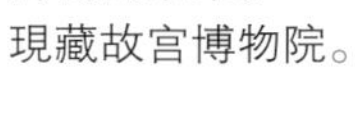

填漆蕉葉饕餮紋瓶

清

高61、最大腹徑43厘米。

通體作瓜棱式，葵瓣式口，束頸，溜肩，鼓腹，腹最大徑偏上并飾有鋪首銜環，腹下接圈足。通體髹天藍色漆爲地，頸及腹部以白、紫、黄三色六角形錦紋爲地，上飾紅色蕉葉紋，蕉葉内描繪饕餮紋；上腹部以連續的波紋作成圓形開光，内以紅漆繪兩隻反向對稱的怪獸；口沿及底足各描飾一周粉色回紋。此器具有與珐琅器相同的藝術效果。

現藏故宫博物院。

描油勾蓮花出戟觚

清

高6.2、口徑10.8厘米。

銅胎。觚身六出戟，戟皆描金。外髹緑漆地，以金漆勾勒花紋輪廓，描油繪紋飾細部，工藝仿銅胎掐絲珐琅。

現藏故宫博物院。

剔彩開光群鹿圖尊

清

高59、口徑19.5厘米。

銅胎。斜直口、短頸，鹿頭狀雙耳，碩腹、圈足。通體黑漆錦地上雕朱漆花紋。腹面開光内雕飾秋林呦鹿圖，鹿體刻畫細膩，富于動感。

現藏天津博物館。

描金彩漆花卉背壺

清
高20、口徑3.2厘米。
鉛胎。呈葫蘆形，扁腹，附雙耳。通體髹紫漆地，描金彩花紋。雙耳飾花卉紋，腹部正背兩面皆飾黑漆描金雲式開光，内各繪牡丹、菊花及靈芝紋，兩側面繪紅蝠勾蓮紋。
現藏故宫博物院。

紫漆描金花卉多穆壺

清
高58.3、口徑14.5厘米。
壺口沿爲僧帽式。通體髹紫漆地，描金纏枝蓮紋。方曲流上飾描金龍頭火珠紋。側面附環形鏈條。
現藏故宫博物院。

識文描金菊花紋執壺

清

高9、口徑15.6厘米。

紫砂胎，呈扁圓形。通體黑漆地識文描金，壺身描金菊花紋及秋蟲，蓋上飾菊花、竹葉，柄流飾菊花、蝴蝶。壺底爲紫砂地，正中陰刻“大清乾隆年製”篆書款。

現藏故宫博物院。

朱漆描金鳳紋碗

清

高6.9、口徑17.4、足徑9.1厘米。

碗内鑲銀裏，外髹朱漆地，描金間施紫紅色漆繪花紋。外壁飾三鳳牡丹圖，足外壁描金如意雲紋。圈足内髹黑光漆，有雙方圈楷書描金“大清乾隆年製”三行款。

現藏故宫博物院。

描金三鳳牡丹紋漆碗

清

高7、口徑15.7厘米。

銀胎。敞口，弧腹略内收，平底，下接矮圈足。内壁未髹漆以露銀裏。外壁髹朱漆，以金漆描繪三隻姿態各异、展翅振飛的鳳，其間以牡丹花相連。圈足上描金海浪紋。底足内髹黑色退光漆，内有刀刻填金楷書“大清乾隆年製”款。

現藏故宫博物院。

朱漆菊瓣式蓋碗

清

高10、口徑10.8、足徑3.3厘米。

碗呈菊瓣式，下有隨形矮圈足。内外皆髹朱漆，蓋内及内底均刀刻填金乾隆丙申春御題隸書詩一首，計二十字，蓋鈕内及圈足内有刀刻填金篆書“乾隆年製”款。

現藏故宫博物院。

填彩漆雲龍紋碗

清

高7.2、口徑19.8厘米。

碗表朱漆地，以黄、黑、紫、緑、墨緑等色漆填飾雲龍紋。碗内及外底髹黑光漆，足内正中刻楷書填金“大清乾隆年製”三竪行款。

現藏故宫博物院。

嵌螺鈿仕女圖碗

清

高6.5、口徑14.5、足徑7.7厘米。

碗口微撇，弧腹内收，圈足。内、外皆髹黑漆地。外腹部嵌朱、緑、藍、黄等諸色薄螺鈿通景仕女圖。足底亦髹黑漆，素面。

現藏故宫博物院。

黑漆識文描金八仙人物碗

清

口徑12.7、足徑6.5、高6.3厘米。

內裹銀胎，外髹黑漆地并識文描金、描紅花紋。外腹部飾一周八仙人物圖。

現藏故宮博物院。

填彩漆雲龍紋碗

清

口徑19.8、高7.2厘米。

碗表朱漆地，以黃、黑、紫、緑、墨緑等色漆填飾雲龍紋。碗內及外底髹黑光漆、足內正中刻楷書填金“大清乾隆年製”三竪行款。

現藏故宮博物院。

描金彩漆松鶴紋杯

清

高8.5、口徑7.3厘米。

杯體作圓筒狀，近底部略内收。杯内附膽，杯與膽内髹朱漆，外髹黑漆。膽體描金玉蘭花及彩蝶，杯外彩漆描金松鶴、牡丹紋。

現藏故宫博物院。

填漆戧金唾盂

清

高5.7、直徑14.6厘米。

拱蓋，正中球形鈕。盂體平口，横出花邊，邊廓起沿。圓直腹，平底。通體赭黄色漆地，以深紅、大紅、深緑色漆填嵌捲葉花紋。

現藏遼寧省旅順博物館。

黑漆描金山水樓閣圖手爐

清

通梁高14、腹長18.4、寬12.9厘米。

薄木胎，雙圓相連形。底平，中心有圓孔。爐内設銅鍍金盆，并與銅絲編罩相吻合。爐身四面開光、内爲黑漆地，彩金像飾山水樓閣紋樣。開光外黄褐色漆地上描勾蓮紋。蓋邊和提梁飾描金錦紋。

現藏故宫博物院。

朱漆描金嵌玉如意

清

長46厘米。

通體髹朱漆地，以緑、黄、藕荷等色漆繪花卉和描金蝴蝶、草蟲紋。頭部嵌如意形白玉，中心透雕一圓壽字。

現藏故宫博物院。

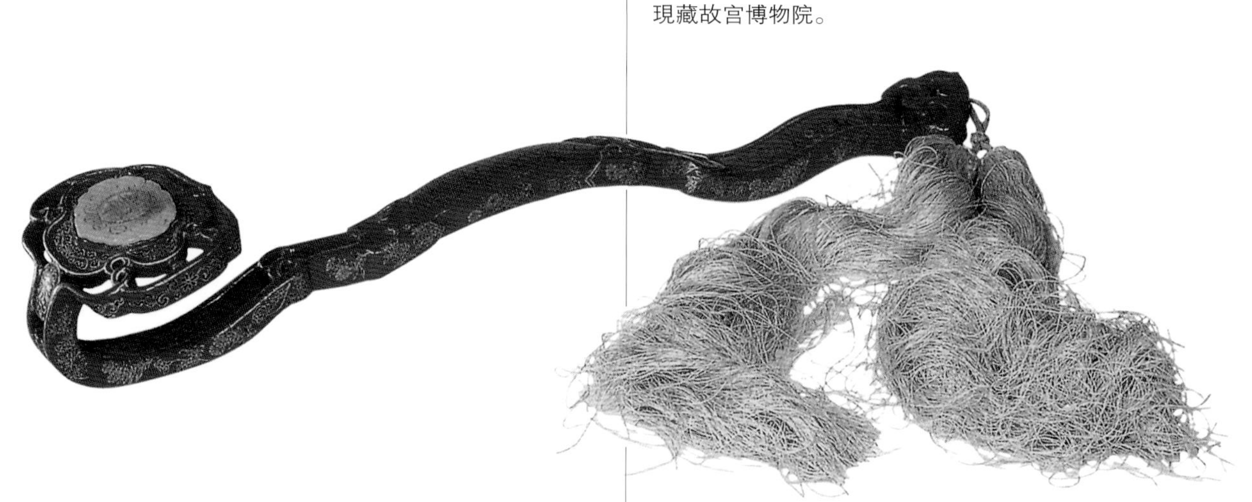

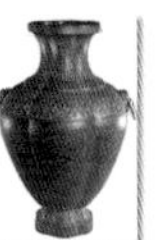

金漆牡丹如意

清

高10、長40、寬14厘米。

外髹金漆，由整木雕成牡丹花紋如意形。

現藏廣東省博物館。

嵌竹人物方筆筒

清

高14.5、口徑12厘米。

筆筒呈方形。通體黑漆地，嵌竹飾花紋。口邊及四周飾回紋，四面方形開光內各嵌一老人，分別作持筆靜思、肩負竹簍、坐憩、拱揖狀。筒底嵌竹團螭紋。

現藏故宮博物院。

描金彩漆花鳥如意形筆筒

清

高11.7厘米。

筆筒作如意形。通體髹紫色漆地，彩漆描金芙蓉花鳥和彩蝶紋。器内、外底皆髹黑光漆。

現藏故宫博物院。

剔紅山水人物鼻烟壺

清

高6.3、寬3.2厘米。

作橄欖形，銅蓋銀勺，橢圓足。通體飾錦紋地，腹面開光内雕羲之愛鵝圖，頸部雕一周蕉葉紋。

現藏天津博物館。

百寶嵌花蝶鼓式漆几面

清

高8.4、口徑20.3厘米。

几作鼓式，四周八橢圓形開光。通體黑漆地。几面嵌碧玉、螺鈿、玻璃、鷄翅木等，飾石榴、菊花和彩蝶紋。

現藏故宫博物院。

嵌螺鈿花蝶小几

清

高5.7、長25、寬14厘米。

几面平，捲書狀腿。通體黑漆地上嵌薄螺鈿花紋，几面飾山石、牡丹、彩蝶圖，兩側嵌飾團花紋。

現藏故宫博物院。

雕漆山水人物插屏

清

高37.9、長22.2、厚3厘米。

插屏呈長方形，兩面均飾《紅樓夢》人物故事圖，下連彩漆底座。一面爲剔紅大觀園圖，另一面爲黑漆地上彩漆描金瀟湘館圖，仕女形體衣着及院内的亭臺樓閣、樹木山石等表現精工細膩。底座黑漆地彩漆描金花卉紋。現藏故宫博物院。

黑漆描金冠架

清

高27厘米。

冠架頂部爲兩半圓球體相合而成，口部一側設機關，可開合。通體髹黑光漆，描金花卉紋。頂部鏤空菊花錦，頂心飾一菊花，上、下口邊描金如意雲紋。底座彩金像描金纏枝花卉和六團壽字，座底有六垂雲式足。

現藏故宫博物院。

款彩漆冠架

清

高32.3厘米。

造型作兩布幣十字交叉狀。髹黑漆地，施金色款彩文字及花鳥圖案，共四部分，有雄鷄、春蘭、梅鵲及螃蟹圖，配以隸、草、篆書文字并署款。

現藏山東省泰安市博物館。

描金漆畫人物花鳥小神龕

清

高43、寬31、厚19厘米。

神龕上部爲一開合的門户，下部爲一束腰彭腿的小座。通體黑漆地，以金漆描繪人物花鳥。龕内爲一座屏，屏風亦是金漆描繪的人物山水花鳥圖。爲案頭擺玩佳品。現藏廣東省博物館。

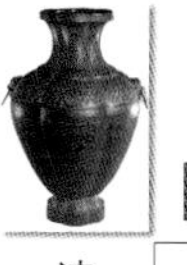

金漆鏤雕座屏

清

高84.5、寬43.3厘米。

木胎鏤雕而成，外髹金漆。屏心雕佛塔、松、柳及佛、菩薩等，中框雕葡萄、松鼠，外框雕纏枝花紋。

現藏故宮博物院。

家　具

幾何勾連紋案

陶寺文化
山西襄汾縣陶寺遺址出土。
高17.5、長99.5、寬38厘米。
木胎。案下爲近似凹字形的木板支架。案面及支架外側均塗有赭紅色漆，案面外圍有白色條帶狀邊框，其中繪有白色幾何勾連紋。
現藏中國社會科學院考古研究所。

禽獸紋俎

春秋
湖北當陽市趙巷4號墓出土。
高14.5、長24.5、寬19厘米。
木胎。俎面與四足爲榫卯結構。俎面髹朱漆，餘皆髹黑漆，并用朱漆繪十二組二十四隻瑞獸和八隻珍禽。
現藏湖北省宜昌博物館。

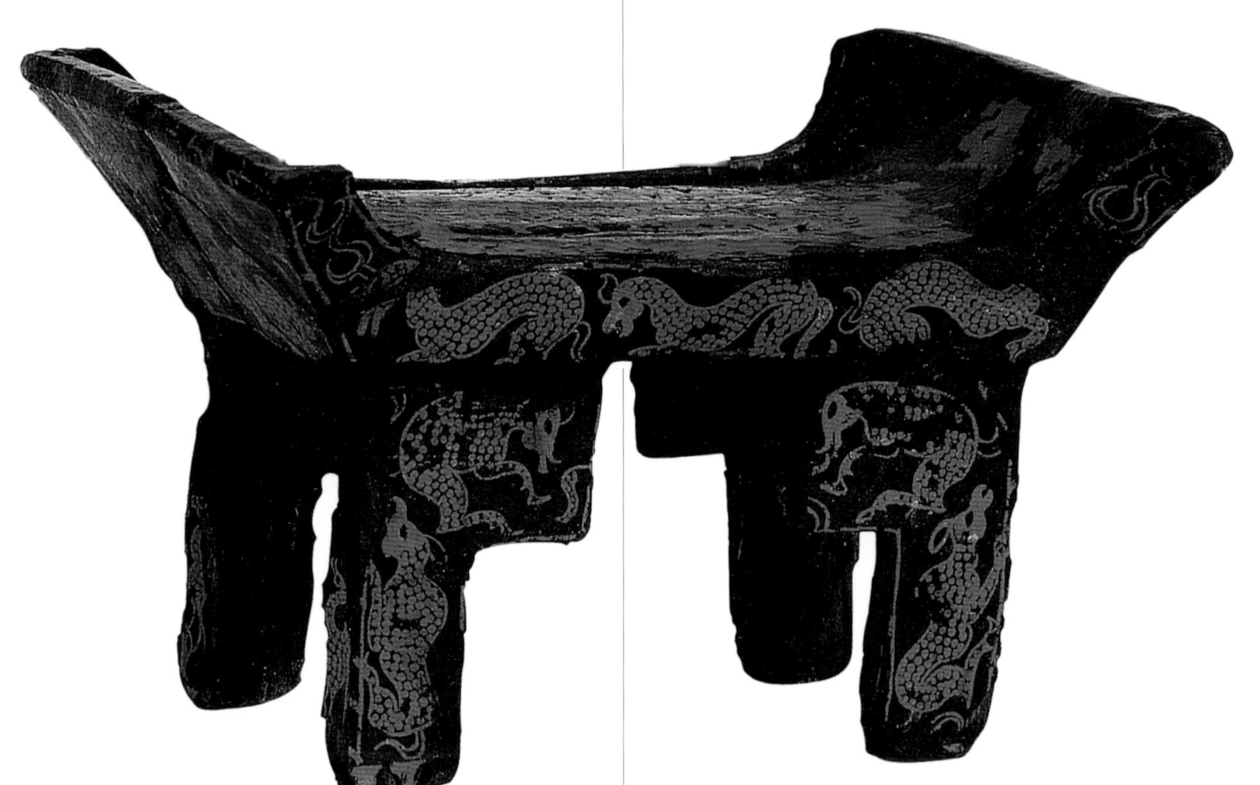

虺紋俎

春秋

山東海陽市嘴子前4號墓出土。

高10.9、長34.7、寬20厘米。

木胎。俎面髹朱漆，素面。四足皆髹黑漆，并用朱漆繪虺紋和捲雲紋等紋樣。

現藏山東省海陽市博物館。

雲紋几

戰國

湖北隨州市曾侯乙墓出土。

高51.3、長60.6、寬21.3厘米。

木胎。面板與兩側立板榫卯相接。面板邊緣及當中皆繪朱漆紋道，餘皆飾雲紋等。

現藏湖北省博物館。

三角雲雷紋俎

戰國

河南信陽市長臺關1號墓出土。

通高14.4厘米，俎面長24.5、寬11.7厘米。

木胎。由俎面與兩足榫接而成。

現藏河南省文物考古研究所。

雲紋案

戰國

湖南長沙市瀏順巷1號墓出土。

通高15.6厘米，案面長71.5、寬37、高15.6厘米。

木胎。案底四周有沿，與四獸足榫接而成。案面周緣爲朱漆繪捲雲紋。

現藏湖南省長沙市文物工作隊。

三角雲雷紋案

戰國

湖南湘鄉市牛形山楚墓出土。

高10、長125、寬51厘米。

木胎。案面周邊微起棱，其下有四個木質蹄形足。案面黑漆地，紅、黄漆繪二十四個渦紋圖案，四邊繪三角雲雷紋。

現藏湖南省博物館。

龍紋几

西漢

湖南長沙市馬王堆3號墓出土。

高42.5、長90.5、寬15.8厘米。

木胎。几面黑漆地上以朱、赭、灰緑漆繪一條騰雲駕霧之巨龍紋様。四足及活動木栓等附件亦髹漆。

現藏湖南省博物館。

雲氣紋几

西漢
湖南長沙市望城坡古墳垸漢墓出土。
高7、長93.4、寬11.8厘米。
木胎。几面扁平狀，下有兩小曲蹄足。通體髹黑漆，以朱、灰兩色繪變形鳥頭紋及雲氣紋等紋樣。
現藏湖南省長沙市文物考古研究所。

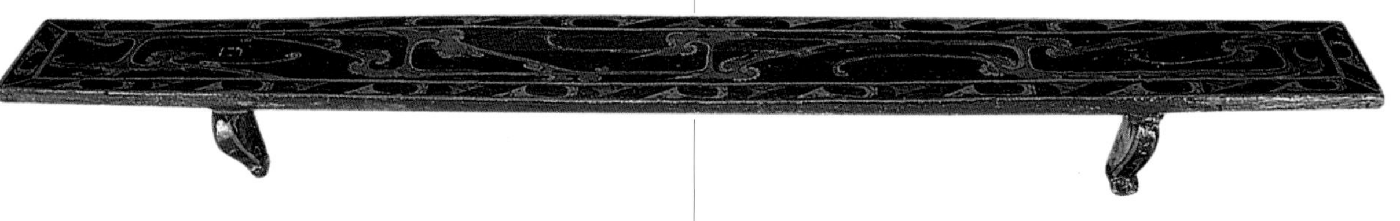

回形紋案

西漢
江蘇揚州市邗江區楊廟鄉燕莊漢墓出土。
高13、長47、寬32.8厘米。
木胎。呈扁長方形，邊緣微凸且外侈。案下有兩豎置長方形木楞，與四蹄足相連。案面朱、黑色漆相間，飾回形紋帶，餘皆髹黑漆。
現藏江蘇省揚州市邗江區文物管理委員會。

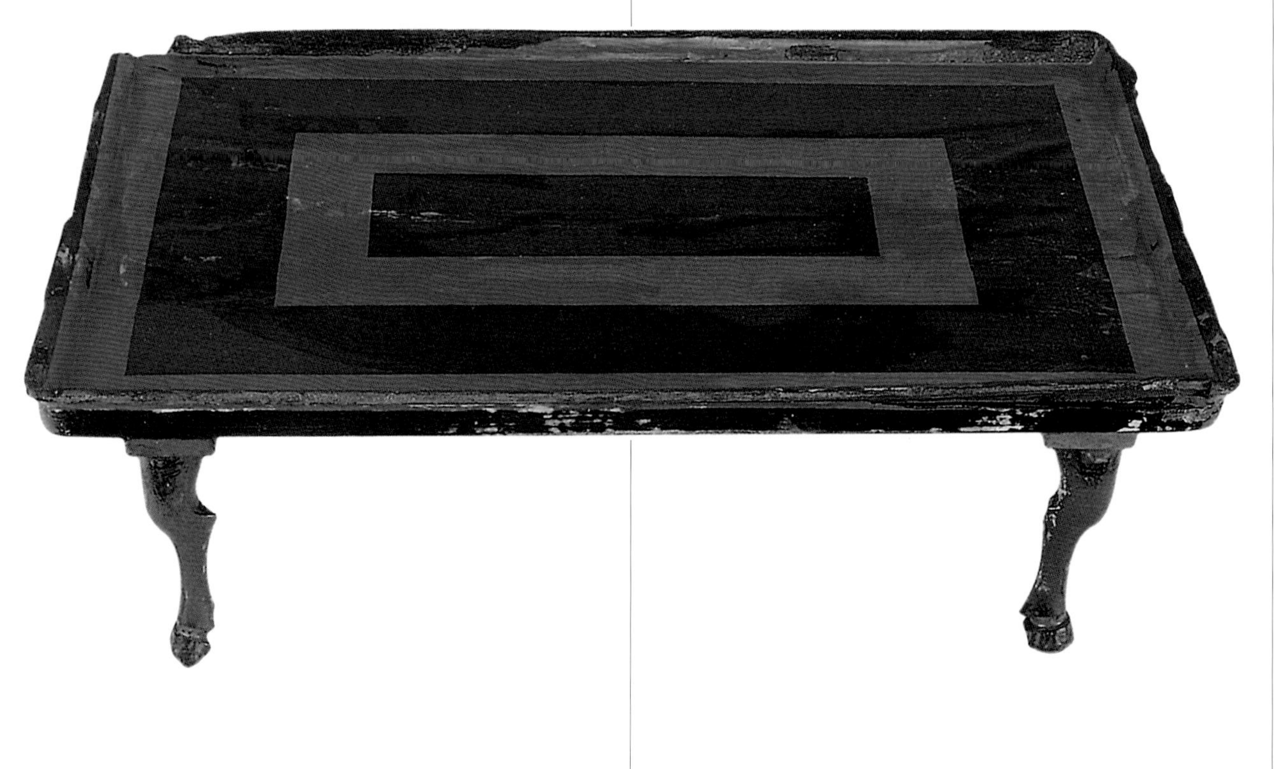

幾何紋案

西漢

江蘇揚州市西湖鄉胡場1號漢墓出土。

高7、長21、寬15厘米。

木胎。呈扁長方形，下有四馬蹄足。通體髹紫紅色漆，再以朱漆及黃、灰綠漆繪幾何紋和星雲紋。此案出土時，其上置數個耳杯。

現藏江蘇省揚州博物館。

三足凳

西漢

江蘇揚州市邗江區甘泉鄉姚灣村秦莊漢墓出土。

高39、面徑46厘米。

凳面環形，略內凹，與三蹄足榫卯連接。通體髹黑漆，凳面側飾兩個對稱的朱漆“ㅓ”形紋樣。

現藏江蘇省揚州市邗江區文物管理委員會。

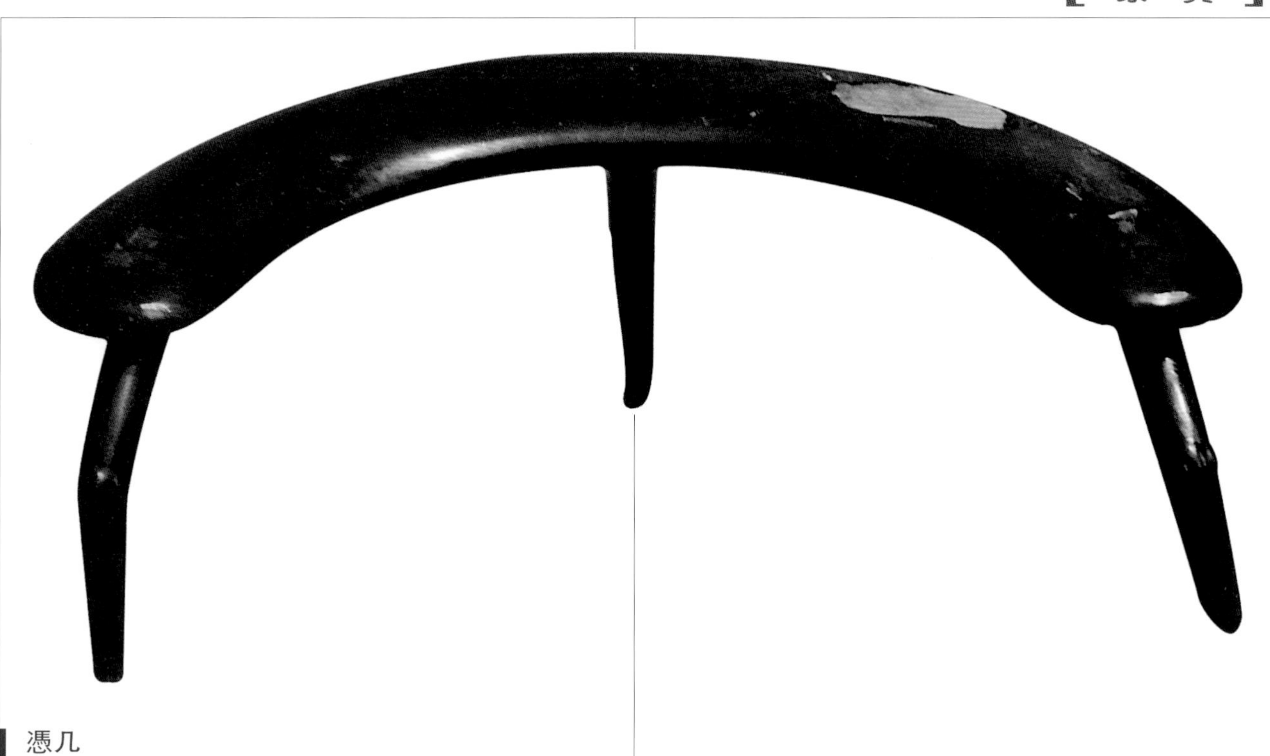

憑几

三國・吴

安徽馬鞍山市三國吴朱然墓出土。

高26、弦長69.5、寬12.9厘米。

木胎。几面呈扁平圓弧形，下有三蹄形足。通體髹黑漆，色澤光亮。

現藏安徽省馬鞍山市博物館。

四足橢圓形几

魏晋

新疆尉犁縣營盤31號墓出土。

高13、長38.4、寬25厘米。

几面呈橢圓形、寬平沿。腿座作方柱形，中間細而兩端粗。四足與几面以榫卯相接，几腿頂端榫頭上用斜釘木榫釘加固。

現藏新疆文物考古研究所。

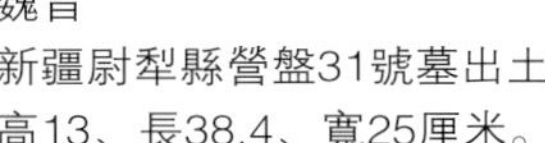

四出頭椅

遼

北京房山區天開塔地宮出土。

高58.5厘米，座面長43、寬26.5厘米。

搭腦、扶手皆出頭，靠背橫竪四棖中間鑲圓形卡子花，兩側及後面的管脚棖呈圓形，兩腿間的雙橫棖與座面間的雙竪棖相連。

現藏首都博物館。

靠背椅

遼

河北張家口市宣化區下八里遼張文藻墓出土。

通高78、座高32.5厘米，座面長42、寬35.5厘米。

椅座方形，四邊框相扣咬，前兩角作“十”字形，前後邊框鑿鉚，中置串帶兩條，帶上托椅座面。椅足方形，正面橫棖上置擋板，透雕三花朵形孔。四足及橫棖皆壓出陰綫紋。

現藏河北省文物研究所。

條桌

遼

北京房山區天開塔地宮出土。

高87、桌面長55.5、寬40.5厘米。

桌面長方形，攢框鑲面，四條腿及棖爲圓形，桌面與橫棖間鑲三個圓形卡子花，矮老中間裝有寶瓶狀飾物。

現藏首都博物館。

盆架

遼

河北張家口市宣化區下八里遼張文藻墓出土。

殘高24.5、直徑34厘米。

架頂部爲圓形，由四塊雕作弧形的橢圓形木榫卯相接而成。下有四柱足，中間以“十”字棖相拉，周圍以弧形棖相固。

現藏河北省文物研究所。

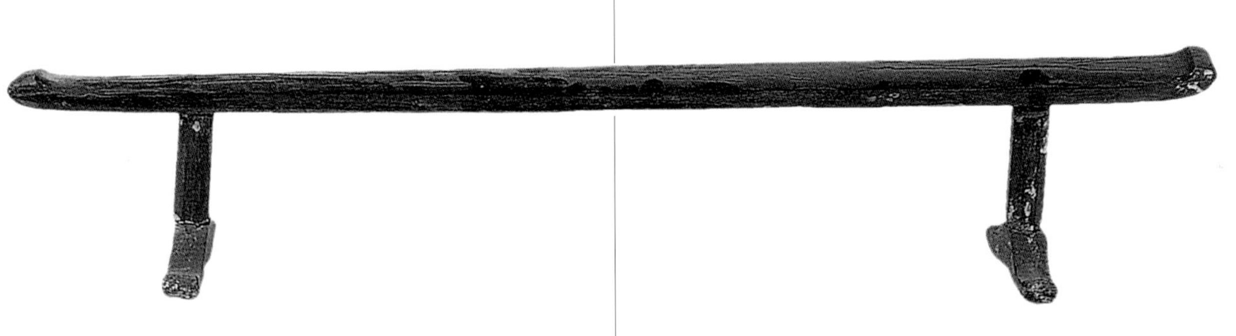

几

北宋

江蘇淮安市楊廟鎮宋墓出土。

高16、長120厘米。

木胎。由几身與兩腿榫接而成。几身條狀且兩端微翹，腿爲八角柱形，足兩端也微翹。通體髹黑漆。

現藏南京博物院。

條桌

西夏

甘肅武威市西部林場西夏2號墓出土。

高29、長54、寬30厘米。

條桌爲木製，表面遍塗赭色。桌面四邊皆打磨光滑。四脚有桌牙，前後爲雙棖，兩側爲單棖。

現藏甘肅省博物館。

衣架

西夏

甘肅武威市西部林場西夏2號墓出土。

寬55.5厘米。

結構簡單，應爲模仿實物的隨葬用品。

現藏甘肅省博物館。

靠背椅

金

北京金代墓葬出土。

高92厘米，座面長46、寬42.5厘米。

兩條豎柱爲靠背，靠背中間有一橫棖，搭腦出頭。座面四邊用框，中間鑲板。座面前邊下有牙子，椅腿爲圓木，下端有脚踏棖。

現藏北京遼金城垣博物館。

酒桌

金

北京金代墓葬出土。
高61厘米，桌面長70.7、寬59厘米。
桌面與桌腿交接處有抱腿牙子，桌腿外圓內方，四周有單棖。
現藏北京遼金城垣博物館。

長方形桌

南宋

江蘇常州市武進區村前鄉南宋墓出土。
高22厘米，桌面長27.5、寬23厘米。
桌面長方形，腿作圓柱狀，順棖一，橫棖二，皆以榫卯相接。此桌係隨葬明器，乃當時實用家具按比例的縮製。
現藏江蘇省常州博物館。

靠背椅

南宋

江蘇常州市武進區村前鄉南宋墓出土。

高30.4厘米。

椅背寬且直，搭腦出頭較長，靠背板略弧，椅座采用“步步高”趕棖。此椅係隨葬明器。

現藏江蘇省常州博物館。

剔紅龍紋圖條案

元

甘肅漳縣元代汪世顯家族墓葬出土。

高58、長70.2、寬35.8厘米。

案面長方形，下有四圓腿，兩側腿間裝雙棖。通體雕朱漆。案面爲雙龍紋，并以牡丹花葉作襯。四腿及牙板、牙頭、雙棖均雕花卉紋。

現藏甘肅省漳縣文化館。

黄花梨無束腰長方凳

明

高51厘米，凳面長51.5、寬41厘米。

腿足直落地面，無馬蹄，斷面外圓内方，側脚顯著。

現藏上海博物館。

黄花梨無束腰羅鍋棖加卡子花方凳

明

高46.5厘米，凳面長50.5、寬50.4厘米。

羅鍋棖采用裹腿做，凳面邊框亦纏裹四足，兩相呼應。立面的兩個混面用兩層木材重叠而成，即“垜邊”做法。卡子花爲雙套環式。

現藏清華大學美術學院。

黄花梨有束腰羅鍋棖長方凳

明

高50厘米，凳面長48.5、寬42.5厘米。

凳面藤編軟屜。束腰與牙條一木連做，牙條邊緣起陽綫，與腿足的陽綫交圈。馬蹄向内兜轉。羅鍋棖與腿足采用齊肩膀做法。

現藏清華大學美術學院。

黄花梨有束腰十字棖長方凳

明

高48.5厘米，凳面長55.2、寬46.3厘米。

此種造型較爲罕見。四面牙條均透雕三組雲紋，并沿邊起陽綫，與腿足交圈，直落到内翻馬蹄上。腿子中部突出的捲轉花紋處恰與十字棖相交。凳面原爲藤編軟屜，後被改爲草席貼面硬屜。

現藏私人處。

黄花梨有束腰三彎腿霸王棖方凳

明

高52厘米，凳面長55.5、寬55.5厘米。

腿足爲三彎腿式，馬蹄外翻顯著，弧度較大。壼門輪廓完整。霸王棖下端用“勾挂墊榫”與腿足相交，上端則連在凳面軟屜下的兩根彎帶上。

現藏上海博物館。

紫檀有束腰鼓腿彭牙方凳

明

高52厘米，凳面長57、寬57厘米。

凳面由紫檀板作，稍稍落堂安裝。鼓腿彭牙造型。足下端向内兜轉，形成内翻馬蹄。牙條與腿足相交處亦安角牙，以加强連接。

現藏故宫博物院。

黄花梨八足圓凳

明

高49、面徑38、腹徑45厘米。

此爲介乎圓凳與坐墩之間的一件坐具。外觀似于坐墩，却無開光、鼓釘等一般明式坐墩的特徵。結構簡單，僅以八根“劈料”彎足。上承圓框，下與托泥連接。托泥下小足已脱落。

現藏北京市龍順成中式家具廠。

紫檀四開光坐墩

明

高48、面徑39、腹徑57厘米。

開光作圓角方形，沿邊起陽綫，與上下凸起弦紋相映。鼓釘隱起，不露刀工。四足裏面削圓，以插肩榫與上下構件拍合。

現藏河北省承德市避暑山莊博物館。

黄花梨有束腰羅鍋棖二人凳

明

高49厘米，凳面長102、寬42厘米。

方材、直足、内翻馬蹄，腿足間施羅鍋棖。凳面原爲藤編軟屜，後改爲草蓆貼面硬屜。

現藏北京市木材廠。

戧金細鈎填漆春凳

明

高53厘米，凳面長134.5、寬43厘米。

此椅造型采用有束腰内翻馬蹄式。凳面飾山水樓閣人物紋，填漆、描金并用。

現藏故宫博物院。

黃花梨有踏床交杌

明

高49.5厘米，面支平長55.7、寬41.4厘米。

杌面用絲絨編織而成，乃近年所爲，其横材立面上浮雕捲草紋。四面皆用圓材，僅在穿鉚軸釘的一段作方形，以增其堅實。踏床面板釘銅飾件，兩端探出的圓軸插入足端卯眼内，可裝卸、翻轉。

現藏私人處。

黃花梨交杌

明

高55.5厘米，面支平長66、寬29厘米。

由八根直材構成。杌面以藍色絲絨編織成回紋軟屜，底面兩根方材，可擺放平穩。横材出頭處，均包裹銜套，并用釘加固，軸釘穿鉚處加墊護眼錢。

現藏故宮博物院。

黄花梨大燈挂椅

明

通高117厘米，座面長57.5、寬41.5厘米。

搭腦正中削出斜坡，向兩旁微微下垂，至盡端又復上翹；靠背板高而且薄，隨勢弧曲，此乃明式家具典型風格。座面下券口牙子爲微微下垂的“窪堂肚”做法，柔婉有致。管脚棖爲步步高式。

現藏私人處。

黄花梨透雕螭紋玫瑰椅

明

通高87厘米，座面長61、寬46厘米。

靠背裝六螭捧壽透雕花板，横棖下以團螭紋卡子花支墊。座面下三面券口牙子均浮雕花紋。

現藏清華大學美術學院。

黃花梨玫瑰椅

明

通高69厘米，座面長58、寬45厘米。

券口牙子雕回紋，落在羅鍋棖上。座面下牙條雕捲草紋。

現藏清華大學美術學院。

黃花梨四出頭官帽椅

明

通高120.4厘米，座面長55.5、寬43.4厘米。

椅的搭腦、靠背板、扶手、聯幫棍、鵝脖都有彎，座面以下用券口。

現藏私人處。

黃花梨高扶手南官帽椅

明

通高93.2厘米，座面長56、寬47.5厘米。

靠背板由三段攢成。上段落堂作地，嵌透雕龍紋玉片，中段平鑲黃花梨板，下段鑲落堂捲草紋亮脚。座面藤編軟屜，下邊四面皆施素直券口牙子。

現藏北京市頤和園管理處。

黃花梨高扶手南官帽椅側面

鐵力木四出頭官帽椅

明

通高116厘米，座面長74、寬60.5厘米。

此椅結構非常簡練，搭腦和扶手都是直材，聯幫棍上細下粗亦爲直材，各構件中僅鵝脖部分微向前彎。座面下施羅鍋棖加矮老。

現藏私人處。

黄花梨高靠背南官帽椅

明

通高119.5厘米，座面長57.5、寬44.2厘米。

此爲明代南官帽椅的常見式樣，搭腦、扶手、聯幫棍皆有彎。靠背板高且薄，上端浮雕螭紋。座面下施券口牙子。

現藏私人處。

紫檀扇面形南官帽椅

明

通高108.5厘米，座面前寬75.8、后寬61、深60.5厘米。

座面前寬後窄，大邊弧度前凸，平面作扇面形。腿足外張，側脚顯著。全身一律素混面，僅靠背板上浮雕牡丹紋團花。管脚棖采用明榫。

現藏上海博物館。

黄花梨矮靠背南官帽椅

明

通高82厘米，座面長59、寬47厘米。

椅面藤編軟屜。扶手、聯幫棍皆弧彎，靠背用直欞三根。座面下施羅鍋棖加矮老，管脚棖爲步步高式。

現藏清華大學美術學院。

黄花梨六方形南官帽椅

明

通高83、座高49厘米，座面長78、寬55厘米。

椅作六方形，邊抹采用雙混面壓邊綫。搭腦、扶手、腿足上截和聯幫棍都采用瓜棱式綫脚，六足外面亦起瓜棱綫。靠背板攢框打槽裝板，上段透雕雲紋，中段光素，下段爲雲紋亮脚。

現藏故宫博物院。

黄花梨浮雕螭紋圈椅

明

通高103厘米，座面長63、寬49.5厘米。

此椅後背及扶手一順而下，靠背整板浮雕兩螭，肢尾衍成捲草，左右迴旋。

現藏故宫博物院。

黃花梨透雕靠背圈椅

明

通高107厘米，座面長60.7、寬48.7厘米。

椅圈圓中帶扁，三接而成。靠背板上端做出壼門形開光，透雕麒麟紋；下端鏤出亮脚。靠板上端兩旁用木條拼作，雕飾捲草紋。座面下施券口牙子，曲綫圓潤有力。

現藏上海博物館。

黃花梨透雕靠背圈椅側面

黄花梨圓後背交椅

明

通高104厘米，座面支平長69.5、寬47.5厘米。

此爲明代交椅的最基本形式。全身光素，僅靠背板浮雕一朵由雲頭和雙螭組成的花紋。座面爲絲繩編織的軟屜。踏床可裝卸、翻轉，床面及各構件交接處均用鐵飾件加固。

現藏故宫博物院。

黄花梨圓後背交椅

明

通高112厘米，座面長70、寬46.5厘米。

靠背板由三段攢接而成：上段透雕螭紋開光；中爲透雕麒麟葫蘆、山石靈芝；下段則鎪出亮脚，起捲草紋陽綫。踏床可翻轉，面板釘銅飾件。

現藏上海博物館。

紫檀有束腰帶托泥寶座

明

通高109厘米，面長98、寬78厘米。

圍子作七屏風式，由後背和扶手三扇構成。通體浮雕蓮花、蓮葉及蒲草紋，僅餘座面、束腰光素無紋。刻工圓渾，密不露地。寶座前還有同一花紋的脚踏。

現藏故宫博物院。

黃花梨嵌楠木寶座

明

通高102厘米，座面長107、寬73厘米。

圍子作五屏風式。後背正中一扇，上有捲書式搭腦，下鎪出捲草紋亮脚。通體所飾花紋皆由楠木癭子嵌成，圖案古樸。座面菱花紋軟屜係黃絲絨編成，保存完好。

現藏河北省承德市避暑山莊博物館。

剔紅文會圖小几

明

高4.9厘米，桌面長23、寬17.4厘米。

几面呈長方形，作捲書狀。几面在錦紋之上雕文會圖，有對弈、賞畫、撫琴等情景。几壁側面錦紋之上雕折枝花卉。

現藏故宮博物院。

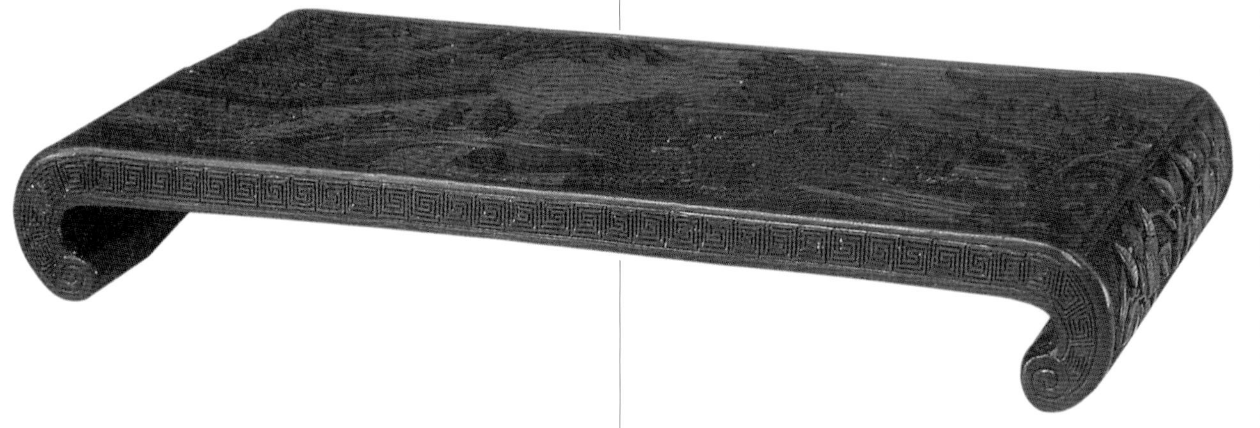

黄花梨有束腰齊牙條炕桌

明

高29.5厘米，桌面長108、寬69厘米。

有束腰，牙條兩端與腿足以“齊牙條”相接，變形三彎腿。腿足肩部雕獸面，足端雕作獸爪攫球狀。四面牙條亦飾花紋。

現藏上海博物館。

黄花梨有束腰鼓腿彭牙炕桌

明

高29厘米，桌面長84、寬52厘米。

鼓腿彭牙式炕桌，肩部向外彭出，足底向内兜轉，馬蹄近圓球形。牙條雕飾蓮花、草龍等紋飾。

現藏故宫博物院。

黃花梨有束腰炕桌

明

高28厘米，桌面長92、寬60厘米。

桌面長方，有束腰，直足内翻馬蹄。四面牙條鏤作壼門式輪廓，下施羅鍋棖，與腿足以“齊肩膀”相交。

現藏故宫博物院。

剔紅花卉長方几

明

高16.8、長54.1、寬22.3厘米。

几面長方形，有束腰，鼓腿彭牙，外翻馬蹄足，帶托泥。通體黄漆素地之上雕朱漆花紋，几面菱花形開光内雕多種花卉，束腰處爲纏枝靈芝紋，牙板及四腿亦雕花卉紋。

現藏故宫博物院。

黃花梨有束腰三彎腿炕桌

明

高30厘米，桌面長88、寬46厘米。

此桌造型奇巧特殊，腿足爲變形三彎腿，似由鼓腿鼓牙的腿上再增加一截外翻腿足而成。牙條輪廓柔婉，邊緣起陽綫，與腿足的陽綫交圈。

現藏私人處。

黃花梨有束腰三彎腿炕桌側面

剔犀雲紋几

明

通高27、面寬54.8厘米。

几面呈八方形，有束腰，鼓腿彭牙，外翻八足。通體髹紫黑色漆，几面剔雲紋，腰、腿、足皆剔捲草紋。

現藏山西博物院。

描漆人物菱花几

明

高17.4、長41.7、寬26.4厘米。

通體呈扁長菱花形，赭黄色漆地。平面，束腰，彭牙，鼓腿，下帶托泥，几足内折外捲。

現藏遼寧省旅順博物館。

黄花梨三足香几

明

高89.3、面徑43.3厘米。

几面由四段弧形大邊攢成圓框，打槽裝面心板，立面做出冰盤沿綫脚。牙子上浮雕捲草紋，與腿足以插肩榫接合。几足作三彎腿式，落于圓形托泥上。

現藏上海博物館。

黄花梨四足八方香几

明

高103厘米，几面長50.5、寬37.2厘米。

几面作八方形，用攢邊打槽裝板做成。牙子與束腰係一木連做，似于錦袱下垂狀。几足三彎腿式，弧度不大，落在長方形托泥的四角上。

現藏上海博物館。

鐵力高束腰五足香几

明

高89、面徑61、肩徑67、托泥徑 64厘米。

香几用整板作面。束腰部分露出腿足上截，狀如短柱，其側打槽并嵌裝絛環板，鏤出近似海棠式的透孔。束腰下的托腮寬且厚，腿足與牙子以插肩榫相交。足端削出圓珠，落于托泥上。

現藏私人處。

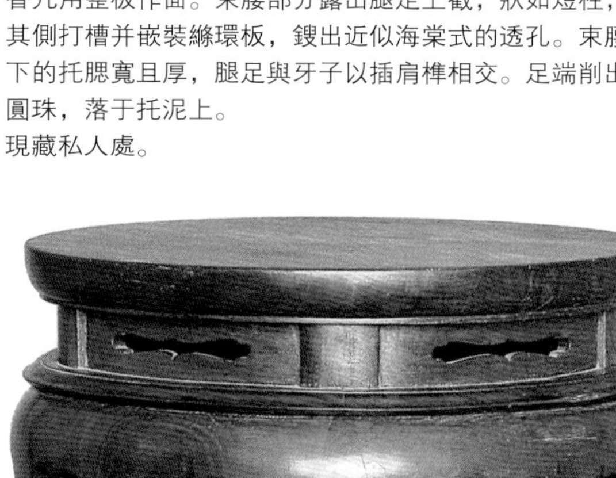

黄花梨高束腰六足香几

明

高73厘米，几面長50.5、寬39.2厘米。

香几高束腰，分上下兩層，雙重絛環板和托腮。絛環板上層透雕雲紋，下層開魚門洞。牙子分段相接，覆蓋腿足，腿足落在臺座上。

現藏故宫博物院。

黃花梨有束腰噴面大方桌

明

高89.2、桌面邊長128厘米。

噴面式大桌面。牙條與束腰一木連做。牙條下安攢做的扁長方框，另施角牙承托，似于羅鍋棖的形式。桌面面心落堂作，原應有石或木板面心。

現藏私人處。

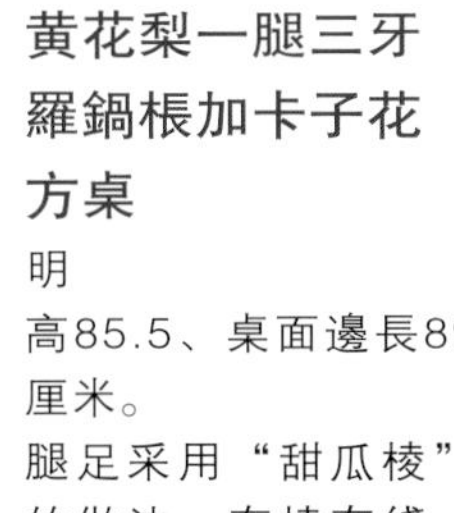

黃花梨一腿三牙羅鍋棖加卡子花方桌

明

高85.5、桌面邊長89厘米。

腿足采用“甜瓜棱”的做法，有棱有綫。牙條與羅鍋棖之間安雲紋卡子花。牙頭鏤出捲草紋。

現藏上海博物館。

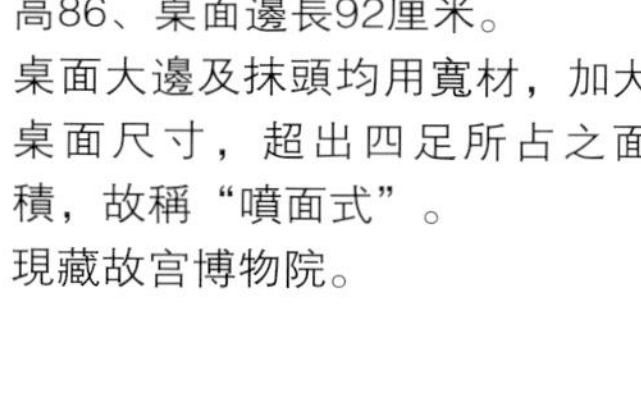

紫檀噴面式方桌

明

高86、桌面邊長92厘米。

桌面大邊及抹頭均用寬材，加大桌面尺寸，超出四足所占之面積，故稱“噴面式”。

現藏故宮博物院。

黄花梨一腿三牙高羅鍋棖小方桌

明

高81、桌面邊長82厘米。

桌面噴出，側脚顯著。桌面的底面邊緣有垛邊，即另加木條，仗栽榫連結及角牙承托。腿足看面各起陽綫兩條。大理石面心可能爲後配。

現藏上海博物館。

朱漆戧金細鈎填漆龍紋酒桌

明

高71厘米，桌面長89、寬64厘米。

桌面長方形，采用插肩榫，腿足與牙條表面平齊。通體皆髹朱漆，桌面四周起攔水綫，葵花式開光内雕填戧金雙龍戲珠及八寶，間以流雲紋。牙條亦以雙龍爲飾。腿足及足間雙棖雕填花卉紋。桌底面朱漆，有刀刻填金“大明萬曆癸丑年製”楷書款。

現藏故宫博物院。

黄花梨夾頭榫酒桌

明

高76厘米，桌面長79、寬57厘米。

腿足與桌面爲案形結體。桌面攢邊打槽裝樺木板面心。腿足皆圓材，牙條光素，足間施雙棖。

現藏私人處。

黃花梨插肩榫酒桌

明

高83厘米，桌面長106、寬54厘米。

桌面攢邊打槽鑲綠色紋石面心。腿足縮進，案形結體。牙條鎪作壺門式輪廓，插肩榫兩側牙條上透雕捲葉紋。足間施雙棖。

現藏北京市龍順成中式家具廠。

黃花梨霸王棖條桌

明

高78.5厘米，桌面長98、寬48厘米。

桌面爲四面平式。束腰不明顯。足下馬蹄係挖缺做，斷面作曲尺形。足内施霸王棖。

現藏私人處。

黄花梨無束腰羅鍋棖條桌

明

高87厘米，桌面長112、寬54.5厘米。

牙條邊緣起陽綫，兩端牙頭用浮雕和透雕技法雕飾自下翻上的雲氣紋。下施羅鍋棖。

現藏北京市龍順成中式家具廠。

黄花梨有束腰矮桌展腿式半桌

明

高87厘米，桌面長104、寬64.2厘米。

此桌上部作矮桌式樣，下連圓足，足端鼓出如柱礎。桌面起攔水綫。束腰有起伏捲折，狀似荷葉。牙條輪廓委婉，正面雕雙鳳朝陽、雲朵映帶，側面雕折枝花鳥。牙條以下安龍形角牙，足内安靈芝紋霸王棖。

現藏上海博物館。

鐵力板足開光條几

明

高87厘米，几面長191.5、寬50厘米。

由三塊鐵力整板製成。几面與板足互相垂直，用悶榫接合，并做成圓角。板足有長圓形透光。足底内弧捲書，爲另木拼貼而成。

現藏私人處。

紫檀四面平式加浮雕畫桌

明

高81.3厘米，桌面長173.5、寬86.5厘米。

桌作四面平式，黑漆面。通體浮雕螭紋，姿態生動，刀法圓潤，頗富古意。

現藏浙江省博物館。

紫檀有束腰几形畫桌

明

高84厘米，桌面長171、寬74.4厘米。

桌面攢框裝板，有束腰。四足造型屬鼓腿彭牙。足下連橫材，橫材中部向上翻出由靈芝紋組成的雲頭。

現藏故宫博物院。

紫檀有束腰几形畫桌側面

鐵力木四屉桌

明

高87厘米，桌面長174、寬51.5厘米。

此桌上部造型似一件無悶倉的悶户橱，足外有小吊頭，安角牙。屜外及牙條、角牙上分刻折枝花和吉祥草紋。

現藏故宫博物院。

黄花梨兩捲角牙琴桌

明

高82厘米，桌面長120、寬51.8厘米。

桌爲四面平式，直足内削馬蹄。桌面上下兩層，中有銅絲彈簧裝置，形成一具共鳴箱。各面四角均安兩捲相抵角牙。

現藏私人處。

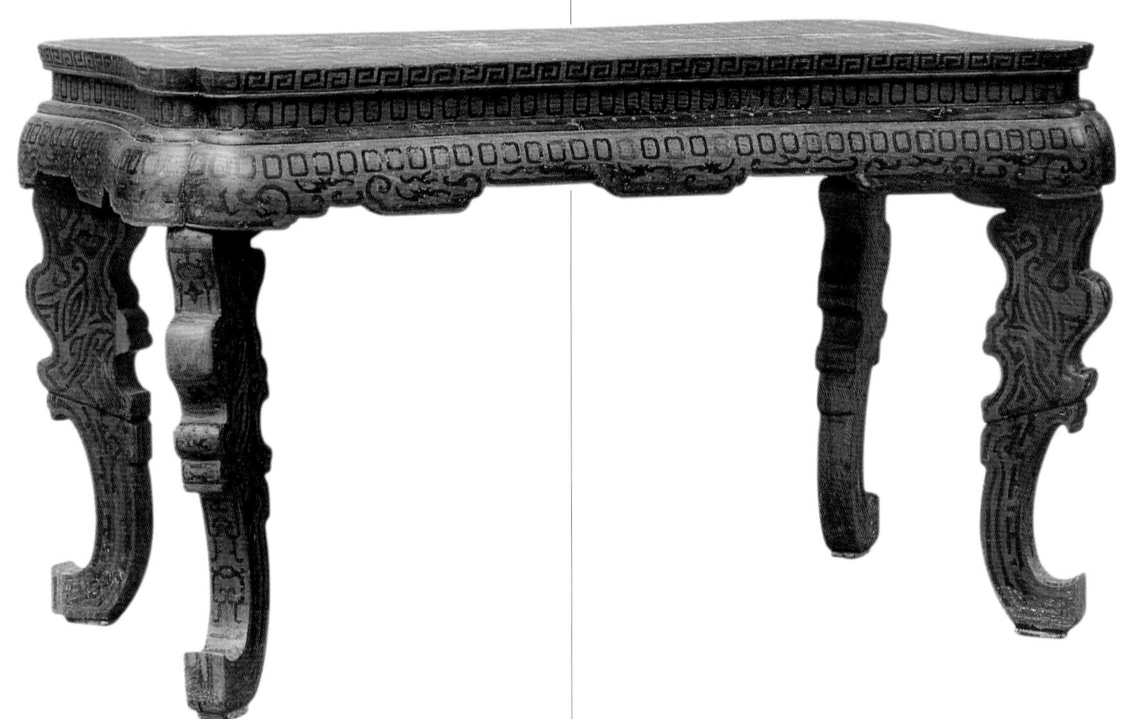

楠木嵌黄花梨有束腰加霸王棖供桌

明

高91厘米，桌面長152、寬82.5厘米。

桌四邊向內凹，四角委角。桌面髹黑漆。邊抹立面、束腰和三彎腿均用黄花梨嵌回紋、三角紋等紋飾。

現藏北京市法源寺。

黄花梨插肩榫翹頭案

明

通高87厘米，案面長140、寬28、厚3.5厘米。

面板較厚，一木連做而成。牙、腿邊緣起燈草綫。牙頭鏤作捲雲一朵，雲下露鈎尖。腿足在距肩下不遠處，做出花葉輪廓，于寬處榫接二横棖。

現藏上海博物館。

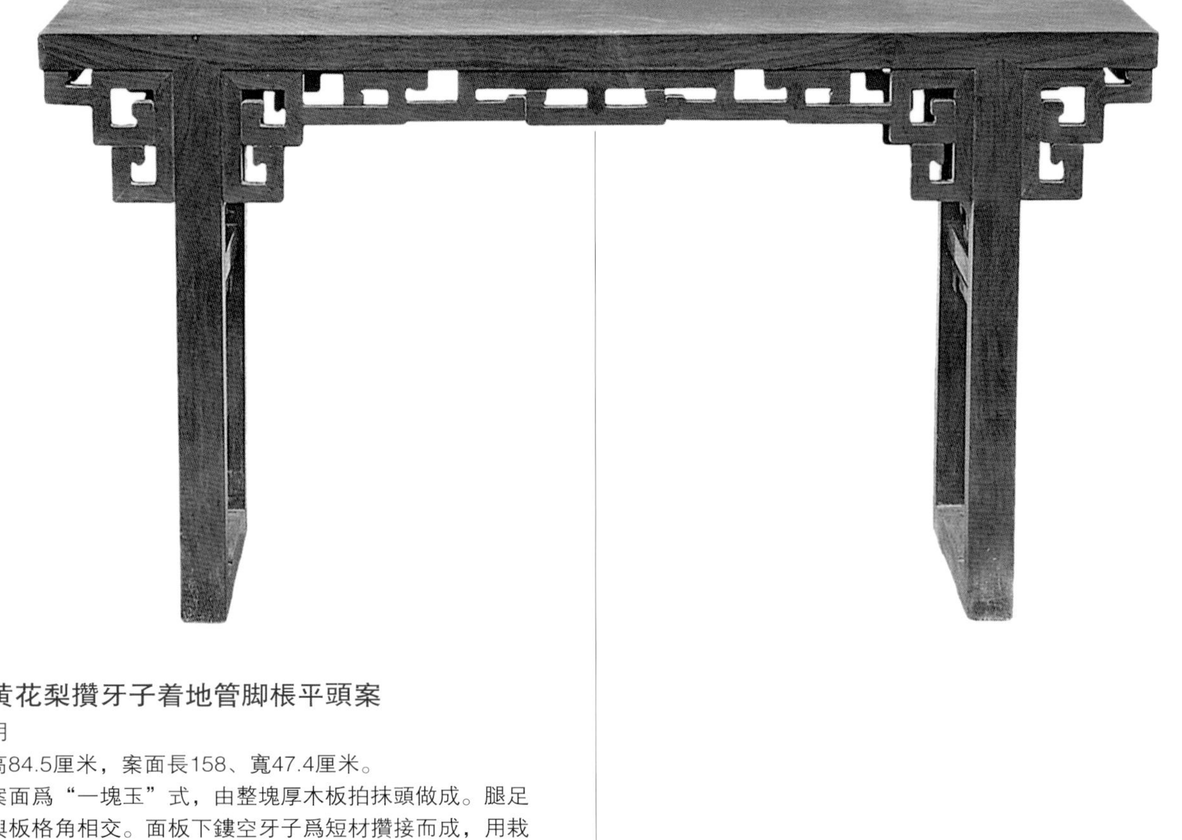

黄花梨攢牙子着地管脚棖平頭案

明

高84.5厘米，案面長158、寬47.4厘米。

案面爲“一塊玉”式，由整塊厚木板拍抹頭做成。腿足與板格角相交。面板下鏤空牙子爲短材攢接而成，用栽榫與腿足及面板連接。足底管角棖與腿足下端亦爲格角相交，并緊貼地面。

現藏私人處。

黑漆嵌螺鈿雲龍戲珠紋平頭案

明

高87厘米，案面長197、寬53厘米。

案面長方形，直腿，無托泥。通體黑漆，滿嵌薄螺鈿，組成雲龍戲珠及如意雲朵等圖案，四足底用雲頭紋銅包角。案裏嵌螺鈿“大明萬曆年製”楷書款。

現藏故宫博物院。

黑漆嵌螺鈿彩繪雲龍紋平頭案

明

高78.5厘米，案面長125.5、寬47厘米。

通體黑漆地。案面面心及周匝邊緣用薄螺鈿填嵌雲龍紋，牙條及腿足上用彩漆描繪龍紋。案底面有刀刻填金“大明萬曆年製”款。

現藏故宮博物院。

黃花梨夾頭榫大平頭案

明

高93厘米，案面長350、寬62.7厘米。

案面攢邊做，面心用整板裝成。牙條牙頭起皮條綫，雕成兩捲相抵紋樣。腿足爲“香爐腿”式，之間安管脚棖，置由四塊雕飾雲紋的厚木條構成的圈口，管脚棖之下另安兩捲相抵的圓棖，似于羅鍋棖造型。

現藏私人處。

紫檀木大畫案

明

高83厘米，案面長192.8、寬102.5厘米。

全身光素，牙子、腿足邊緣起燈草綫，足端略雕鑿，桌側有銘文。

現藏私人處。

黄花梨夾頭榫畫案

明

高85厘米，案面長138、寬75.5厘米。

案面下牙條滿雕螭龍紋。腿足側面安管脚棖，與上面横棖之間用圓材作圈口，并在四角做成兩環相抵狀。

現藏故宫博物院。

紫檀木畫案

明

高85厘米，案面長233、寬93厘米。

直腿，附托泥，腿兩側委角，腿間用方格連接，通體光素。

現藏故宫博物院。

黄花梨夾頭榫畫案

明

高82.5厘米，案面長151、寬69厘米。

此爲標準的明式畫案。夾頭榫結構。牙頭鏤成捲雲紋，雲頭并不完全鏤空，留有一小圓珠與上下連接。側面腿足間施二横棖。

現藏上海博物館。

黄花梨架几式書案

明

通高84.5厘米，案面長192.2、寬69.5厘米。

由兩個長方几作支架，上面搭放一塊長方面板組成。案面爲攢邊打槽裝板做，下面兩几皆方材，中安一具扁方抽屉，足端内翻馬蹄落于托泥上。

現藏北京市文物商店。

鷄翅撇腿翹頭炕案

明

通高32.5厘米，案面長130、寬32.5厘米。

案面較厚實，兩端外翹，下邊腿足亦外撇，兩相呼應。牙頭透雕雲頭，擋板部分亦施透雕，翻出雲頭。

現藏私人處。

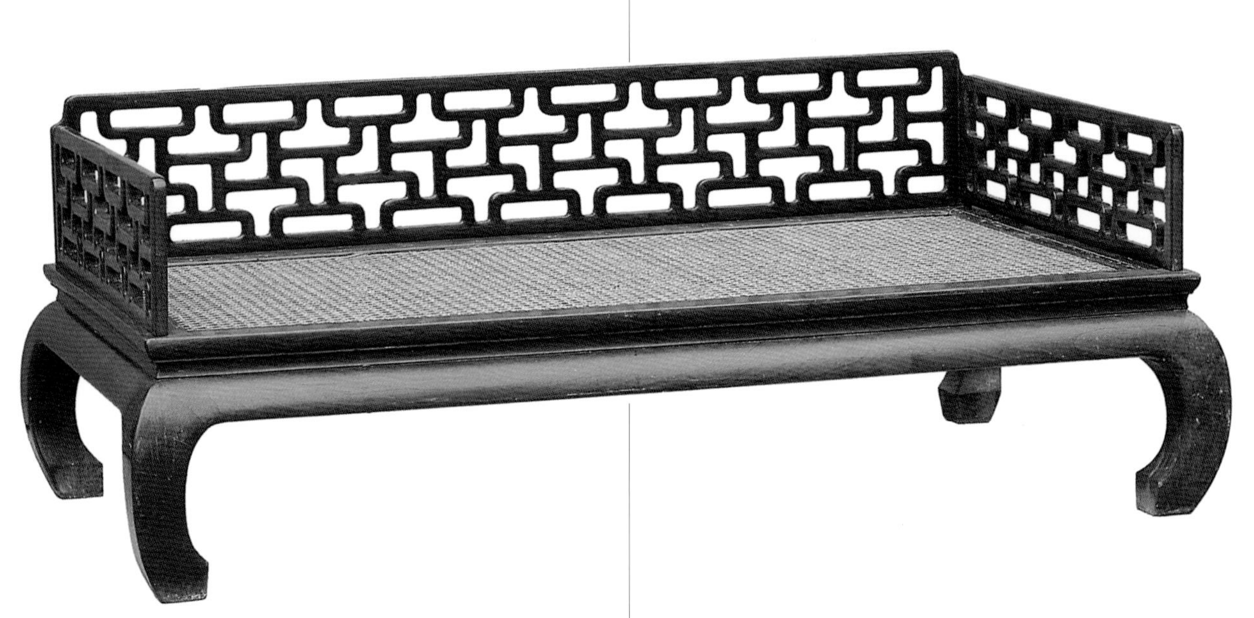

鐵力床身紫檀圍子三屏風羅漢床

明

通高83厘米，床面長221、寬122厘米。
圍子作三屏風式，用紫檀爲材，以攢接法做成曲尺式。床身有束腰，下端鼓腿彭牙，皆以鐵力木爲料製作。
現藏上海博物館。

紫檀三屏風獨板圍子羅漢床

明

通高66厘米，床面長197.5、寬95.5厘米。
圍子作三屏風式，由三塊厚木做成。床身邊抹用素冰盤沿，僅壓邊綫一道。腿足圓材，直落地面。四面皆施裹腿羅鍋棖加矮老。
現藏私人處。

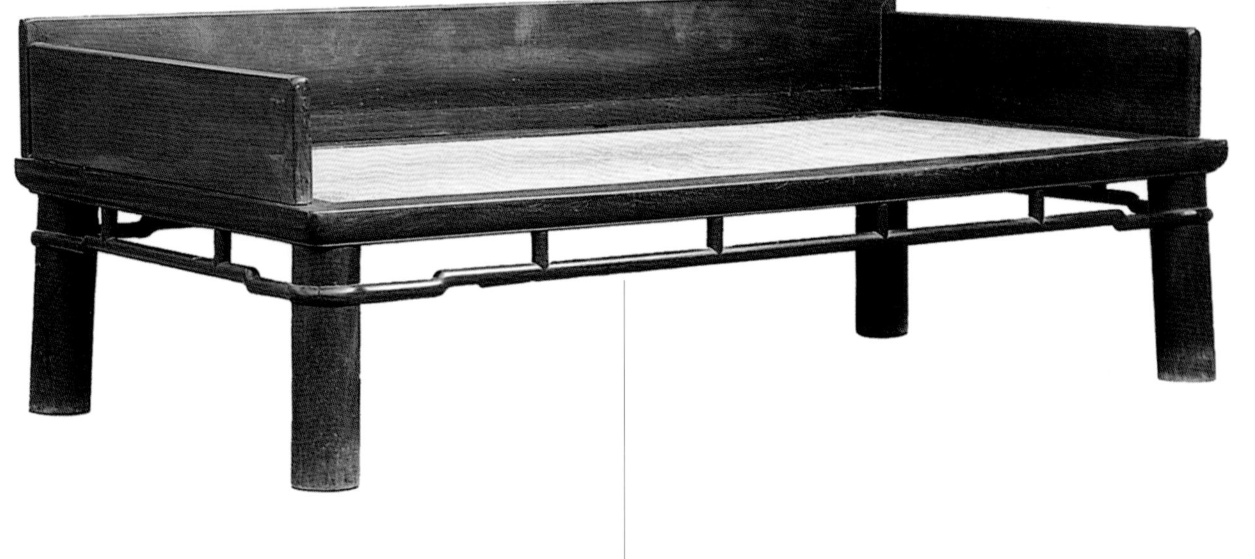

黄花梨十字連方圍子羅漢床

明

通高89.5厘米，床面長198.5、寬93厘米。

圍子作三屏風式，由攢接法做成十字連方樣。床身有束腰。牙條輪廓規整，中部做出兩捲相抵花紋。三彎腿内翻馬蹄。床面原有藤編軟屜，後改爲貼飾臺灣席。

現藏故宫博物院。

嵌螺鈿花鳥紋羅漢床

明

高84.5、長182、寬79.5厘米。

床爲四面平式，内翻馬蹄足，床面用活屜板，左、右及後面裝三塊整板圍子。床身通體髹黑漆地，嵌硬螺鈿花鳥紋，牙板及腿足嵌折枝花卉。此類黑漆嵌螺鈿工藝乃山西家具的典型風格。

現藏故宫博物院。

黄花梨帶門圍子架子床

明

通高231厘米，床面長218.5、寬147.5厘米。

此床爲六柱式。正面兩塊方形門圍子及左、右、後三面長圍子，皆用短材攢接成規整的格子圖案。床頂四面挂檐由鏤花的絛環板組成。床身牙條及足端均雕花紋。現藏故宫博物院。

黄花梨帶門圍子架子床

明

此床爲六柱式。正面兩塊方形門圍子爲攢邊做，内以横材分隔，分飾團螭紋卡子花和如意形圈口内的回首螭龍紋。左、右和後面長圍子紋飾則與正面相异。

現藏上海博物館。

黃花梨月洞式門罩架子床

明

通高227厘米，床面長247.5、寬187.8厘米。

門罩爲月洞式，由三扇拼成，連同床上三面的矮圍子及挂檐均用四簇雲紋，其間再以十字連接，圖案繁縟。床身高束腰，內立短柱，嵌裝絛環板，上浮雕花鳥紋。牙子上雕草龍及纏枝花紋，挂檐的牙條則雕雲鶴紋。此床係蘇作家具。

現藏故宮博物院。

黃花梨品字欄杆架格

明

高177.5、長98、寬46厘米。

通體方材，打窪兒。上層格板之下安暗屉二具，屉面浮雕螭紋。架格三面欄杆皆以横竪材攢成，在最上兩道横材之間安雙套環卡子花。底層之下用寬牙條，并雕飾成分心花和雲紋。

現藏上海博物館。

黄花梨十字欄杆架格

明

高198、長100、寬50.4厘米。

架格方材，通體打窪兒。欄杆用短材攢接而成十字和空心十字相間的圖案。下層足間安綫條柔婉的壺門弧綫牙條。

現藏故宫博物院。

黄花梨透空後背架格

明

高168、長107、寬45厘米。

架格三面均用壺門式券口，僅上層券口未落到底。後背扇活透空花紋以四瓣棗花作心，將四根略具“S”形的彎材集中到棗花上，製成波紋圖案。

現藏私人處。

紫檀三面攢接欞格架格

明

高191、長101、寬51厘米。

架格三層，三面皆以短材攢接欞格，圖案疏透、規整。通體爲紫檀木料，僅後背正中直貫三層的板條爲黄花梨材。

現藏故宫博物院。

紫檀直欞架格

明

通高179厘米，架格長100.3、寬48.2厘米。

架格由上、下兩部分組成，下爲几座。上部爲三層，後背裝板，正面木軸直欞門兩扇，側面透欞做法同于正面。几座設抽屜二具，下有屜板。通體以紫檀爲框架，僅后背、屜板和抽屜内部用鐵力木材。

現藏私人處。

黃花梨變體圓角櫃

明

高175.5、長106、寬53厘米。

此係圓角櫃中的變體，正面櫃頂橫木略具櫃帽之形，兩端各凸作半月形，此處挖臼窩并納門軸，形似圓角櫃，但櫃子背面却無櫃帽，因而又似于“一封書”式的方角櫃。櫃內設抽屜，有屜板。

現藏上海博物館。

黃花梨萬曆櫃

明

通高187厘米，櫃長113、寬55.5、高166厘米，几长115、寬57.5、高21厘米。

上層亮格有背板，三面皆安券口和欄杆，欄杆上浮雕螭紋。下部矮几略寬于櫃體，牙子和足端略雕花紋，上下協調呼應。

現藏北京市文物商店。

鐵力五抹門圓角櫃

明

高187.5厘米，櫃頂長98、寬52厘米。

櫃門用四段五抹攢成，其中的三段在樺木上鑲貼薄板圈口，中間開光露出樺木板。櫃膛立墻安兩柱，分三段裝成。

現藏北京市文物局。

黄花梨雙層亮格櫃

明

高117、長119、寬50厘米。

上部雙層亮格，後背空敞，三面安壼門式券口。其下平列抽屜三具。櫃内設屜板，門上釘兩枚銅鈕頭。

現藏故宮博物院。

黑漆嵌螺鈿彩石百子櫃

明

高186、長126、寬61厘米。

一封書式。通體黑漆爲地，正面合頁門嵌螺鈿彩石組成嬰戲圖，邊部和牙條飾花卉紋及夔龍紋。內附彩繪折枝花紋抽屜兩個。

現藏故宫博物院。

黑漆描金龍紋藥櫃

明

高94.1、長78.9、寬57厘米。

通體黑漆地，正面及兩側描金開光并飾升降雙龍紋，門裏及背面飾描金花蝶紋，四足鑲銅包角。雙開門内有八方旋轉式藥屜八十個，兩側各有長屜十個，每屜上均用金泥爲藥籤，墨書藥名，櫃下另有三個大屜。背有金泥“大明萬曆年製”楷書款。此櫃爲明宫庭御藥房所用。現藏中國國家博物館。

黄花梨提盒

明

通高21.3厘米，盒體長36、寬20厘米。

盒爲兩撞式，每撞沿口均起燈草綫。底座爲長方框用兩帶連接作，在抹頭上植立柱，有站牙相抵夾，上安横梁，各構件相交處均嵌鑲銅頁加固，提梁上部有銅條與盒蓋兩側立墻貫穿，意爲加固。

現藏上海博物館。

黄花梨小箱

明

高18.7厘米，箱面長42、寬24厘米。

通體光素，沿蓋口和箱口起兩道燈草綫。立墻四角、蓋頂四角和面頁所鑲釘的銅飾件皆爲卧槽平鑲。兩側面安提環。

現藏私人處。

黄花梨折叠式鏡臺

明

支起高60、放平高25.5、長49、寬49厘米。

鏡臺上層邊框内爲支架銅鏡的背板，可以放平，或支成約爲60° 的斜面。背板係攢框做。下層正中一格安荷葉式托，可上下移動，以備支架大小不同的銅鏡。中層方格做雲紋角牙，其餘各格裝板皆雕螭紋。底箱爲兩開門式，内置抽屜三具。四足内翻馬蹄。

現藏上海博物館。

鶏翅都承盤

明

高15.4、盤體邊長35.4厘米。

盤作正方形，四面攢作井字式欄杆。下設抽屜兩具，屜面正中飾銅面頁。三面盤墻均用整板作，與角柱榫卯相接。此品用于存放文房用具。

現藏上海博物館。

黄花梨寶座式鏡臺

明

通高52、長43、寬28厘米。

鏡臺屜面浮雕折枝花卉，兩側及背面皆裝板，分别雕刻獸紋及斜“卍”字紋。臺座之上的後背和扶手均裝兩面透雕板，後背爲兩鳳回首相顧圖，左右爲果樹圖案。搭腦和扶手端處皆圓雕龍頭，扶手内側安伏身仰覷的雙螭角牙。

現藏上海博物館。

黄花梨五屏風式龍鳳紋鏡臺

明

高77、長49.5、寬35厘米。

鏡臺作五屏風式，各扇搭腦皆遠挑出頭，絛環板全部透雕龍紋和纏枝蓮紋等，僅正中一扇用龍鳳紋組成圓形圖案。臺座爲兩開門，内設抽屜三具。

現藏故宫博物院。

黃花梨鳳紋衣架

明

高168.5厘米，底座長176、寬47.5厘米。

底座以兩方略具“凸”形的厚木作墩子，上植立柱，并有前後站牙抵夾。兩墩之間安有縱橫直材攢接的欞格。上加橫棖和由三塊透雕鳳紋絛環板構成的中牌子。最上爲搭腦，兩端外翹頭并圓雕作翻捲的花葉。凡橫材與立柱相交處都有雕花挂牙和角牙支托。

現藏上海博物館。

黃花梨衣架中牌子殘件

明

中牌子方框高29.4、寬144.5厘米。

此爲一衣架的中牌子殘件。中牌子的兩側立材上端出頭做成蓮花柱頂，下端向下延伸與棖子接合，然后再與衣架的立柱榫卯相交。中牌子的鬥簇花紋似仿于古玉紋飾。

現藏上海博物館。

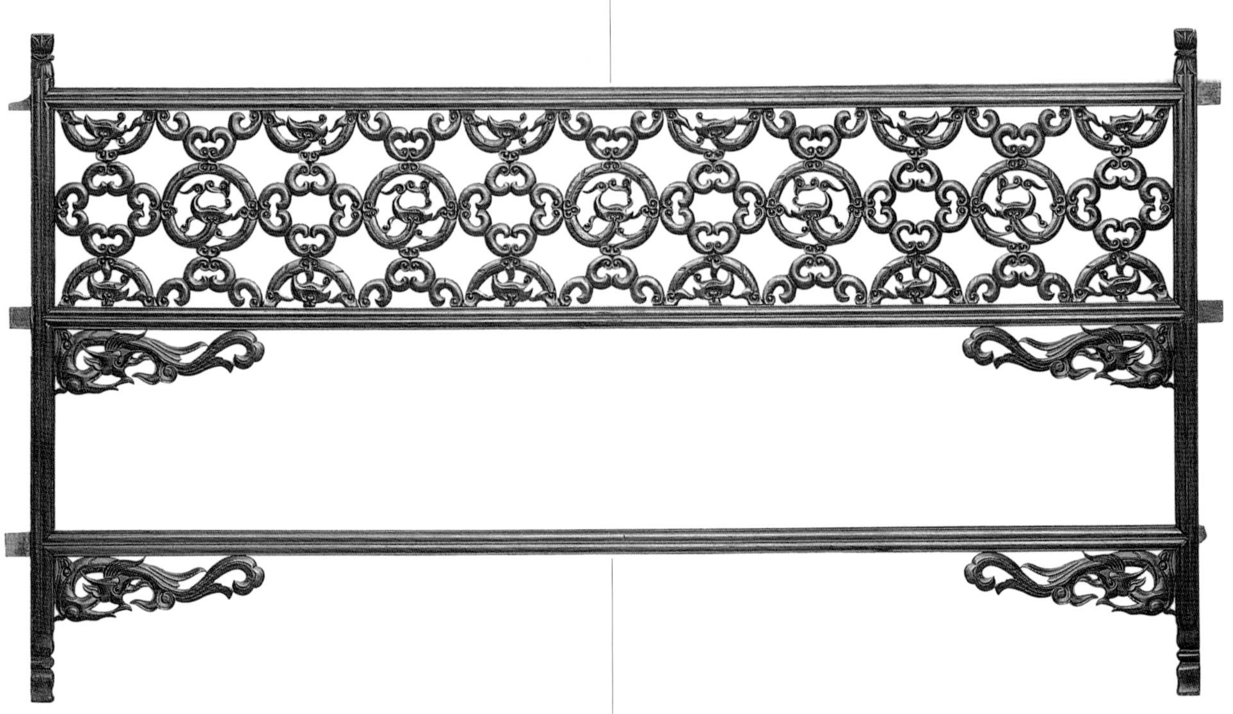

黃花梨六足折叠式矮面盆架

明

高66.2、徑50厘米。

六足皆爲圓材，上端雕刻仰俯蓮紋。兩足上下有横棖連接，其餘四足上下均安一段短材，并在其一端開口打眼，用軸釘與嵌夾在上下兩根横棖中間的圓形木片穿銷在一起，因而四足可折叠。盆架折并後，有横棖的兩足在中間，每邊各三足。

現藏私人處。

黃花梨高面盆架

明

高168、徑58.5厘米。

盆架搭腦兩端出跳圓雕靈芝紋，搭腦以下由圓材捲轉鏤作挂牙。中牌子四角安兩捲相抵角牙，中爲兩木鏤成的四簇雲紋。腿足皆爲圓材，上端雕作俯仰蓮瓣狀。

現藏上海博物館。

鐵力悶户櫥

明

高85厘米，櫥面長98、寬47厘米。

此係明代民間家具，全身光素，風格樸拙。櫥面大邊用透榫，屉面則用明榫結體。悶倉下施羅鍋棖。

現藏私人處。

黄花梨螭紋聯二櫥

明

高89.5厘米，櫥面長112、寬59厘米。

櫥體正面滿雕螭紋圖案，僅牙條雕飾纏蓮紋。悶倉立墻和屉面均用落堂踩鼓做，使花紋看起來醒目飽滿。抽屉面部飾窄長銅面頁。

現藏私人處。

黃花梨官皮箱

明

高37厘米，箱體長35、寬23.5厘米。

箱頂平直，全無雕飾。底座用厚板鎪出曲綫輪廓，綫條宛轉流暢。造型穩重，意趣樸實。內置大小五具抽屜和一格層。

現藏北京市龍順成中式家具廠。

黃花梨方角櫃式藥箱

明

高46厘米，箱面長38、寬27.5厘米。

此件小藥箱形若“一封書”式小方角櫃。無門杆，內安抽屜，屜面中心皆飾帶拉手的銅面頁，抽取方便。

現藏北京市龍順成中式家具廠。

黃花梨插屏式座屏風

明

通高245.5厘米，底長150、寬78厘米。

屏風底座用兩塊厚木雕抱鼓作墩子，中植立柱，并以站牙抵夾。立柱間安二橫棖構成邊框，内以橫竪材分隔并嵌裝透雕螭紋縧環板，屏心爲後裝乾隆朝或稍晚所製的玻璃油畫仕女圖。底座安八字形的披水牙子，上浮雕雙螭紋。

現藏故宫博物院。

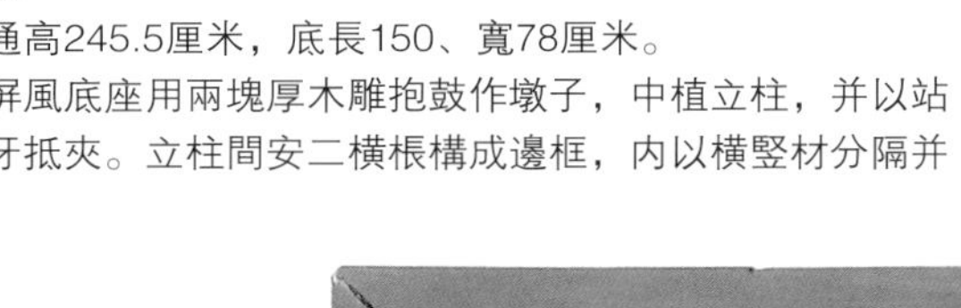

紫檀無束腰管脚棖方凳

清

通高47厘米，凳面邊長52.5、銅足高5.5厘米。

凳面藤編軟屜，邊抹冰盤沿起陽綫一道。圓材，羅鍋棖加矮老，足端施管脚棖。足下端套有銅足，銅足作筒狀，有底，中塞圓木，鑿方孔，栽銅榫，與凳足底方孔相交。

現藏上海博物館。

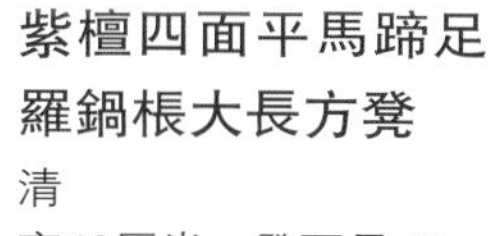

紫檀四面平馬蹄足羅鍋棖大長方凳

清

高48厘米，凳面長70、寬59厘米。

藤編軟屜，全身方材倒棱。腿足與大邊、抹頭采用粽角榫結構。

現藏首都博物館。

紫檀有束腰管脚棖方凳

清

高46、凳面邊長39厘米。

凳面光素，因束腰上又加雙混面綫脚而呈重臺狀。束腰周匝刻仿古銅器蕉葉紋。腿間透雕如意紋牙子。

現藏故宫博物院。

紫檀帶束腰有托泥番蓮紋方凳

清

高52、凳面邊長52厘米。

凳面光素。腿足與牙子爲齊牙條法製做，且牙子均透雕作番蓮紋狀。

現藏北京市文物商店。

紫檀有束腰長方凳

清

高50厘米，凳面長46、寬40厘米。

凳面呈委角方形，藤編軟屜。腿足與牙子均爲格角榫相交。

現藏故宫博物院。

紫檀有束腰長方凳側面

紫檀五開光坐墩

清

高52、面徑28厘米。

坐墩腔壁有五個略具海棠式的開光，沿邊起陽綫，開光上下各有弦紋及釘紋一道。

現藏故宮博物院。

紫檀四開光番草紋坐墩

清

高52、面徑28.3、腹徑37.5厘米。

坐墩造型瘦高，四足及牙條均浮雕歐洲“洛可可”式的番草紋。

現藏河北省承德市避暑山莊博物館。

紫檀直欞式坐墩

清

高47、面徑29厘米。

坐墩修長。腔壁由二十四根長條構成，長條之間各以短條相間。

現藏北京市龍順成中式家具廠。

紫檀有束腰五足嵌玉圓凳

清

高46、面徑36厘米。

座面藤編軟屜，側面雕飾如意狀花紋。高束腰内挖四個魚門洞。牙子作披肩式，浮雕蓮瓣紋、如意紋，并嵌蝙蝠、桃實狀玉石，以寓福壽吉祥。腿足外面亦飾抽象式如意紋，足端爲外翻如意式，落于托泥上，下附小矮足。

現藏故宫博物院。

紫檀有束腰梅花式凳

清

高46、面徑34厘米。

凳面邊框立墻平直。束腰、腿足及上下羅鍋棖皆起雙凸綫，中嵌竹絲。束腰雕冰梅紋。

現藏故宮博物院。

櫸木夾頭榫小條凳

清

高40厘米，凳面長49.5、寬15厘米。

此凳獨板厚面，案形結體，四足側脚顯著，上端采用夾頭榫結構與凳面相接。面板下面僅前後兩面施牙條，且牙頭雕作如意雲狀，其餘兩側面則空敞，下端分施二直棖。

現藏私人處。

柞木無束腰羅鍋棖加矮老二人凳

清

高39厘米，凳面長83、寬31厘米。

采用羅鍋棖加矮老的基本形式。圓材。凳面鋪竹片代替了藤編軟屜，乃南方民間家具的簡易做法。

現藏天津博物館。

黄花梨上折式交杌

清

高49厘米，面支平長56、寬49厘米。

交杌面采用兩方可以折叠，中間安有直欞的木框構成。木框中縫下有支架，用銅環與之連接，當杌面平放時，支架恰好落于腿足相交處，以保持杌面平正并承重。

現藏天津博物館。

紫檀木梳背式扶手椅

清

通高89厘米，座面長56、寬45厘米。

通體方材，靠背、扶手皆略弧彎。座面下施羅鍋棖加矮老，管脚棖亦采用羅鍋式。

現藏故宮博物院。

紫檀木嵌瓷靠背扶手椅

清

通高84.5厘米，座面長57、寬46.5厘米。

椅作南宮帽椅式。靠背正中嵌青花釉裏紅花卉瓷片，扶手微曲，聯幫棍作璧形。座面藤編軟屜，座面下施直棖加俯仰山欞格。足間管脚棖爲劈料裹腿做。

現藏故宮博物院。

紫檀雙魚紋扶手椅

清

通高90厘米，座面長62、寬48厘米。

椅面上的靠背及扶手分三扇安裝，靠背板中間開光，浮雕雙魚紋。牙條以下施直棖，且兩端與攢接的拐子相接，中嵌扁圓形螭卡子花。

現藏河北省承德市避暑山莊博物館。

紫檀七屏風式扶手椅

清

通高82.5厘米，座面長52、寬41厘米。

通體圓材。靠背及扶手作七屏風式，仿燈籠錦窗櫺做法。座面下施羅鍋棖加矮老。

現藏故宮博物院。

紫檀浮雕番蓮雲頭搭腦扶手椅

清

通高106厘米，座面長60、寬50厘米。

靠背板略弧曲，正面浮雕番蓮紋，背面浮雕蝠、磬紋，寓取“福慶有餘”。搭腦正中作雲頭紋式，背面亦雕雲紋。此椅雕飾精緻，紋樣有明顯的西洋裝飾風格，較爲罕見。

現藏北京市文物商店。

紅木圓光靠背扶手椅

清

高102厘米，座面長71、寬56厘米。

波形搭腦，中部浮雕蝙蝠紋，靠背呈圓形開光，上接蝙蝠紋，下有花托與座面相連，兩側飾透雕的花果枝葉。扶手立壁内側和座面皆鑲大理石，座面下有束腰。牙子上透雕花果紋，三彎腿，四條腿下以羅鍋棖相連。

現藏北京市龍順成中式家具廠。

黑漆嵌螺鈿山水紋扶手椅

清

通高104厘米，座高48、寬57、深44.5厘米。

椅背正中錦紋邊内爲一幅山水畫，下端透雕雲紋亮脚，通體描折枝花卉。座面下四周設羅鍋棖加矮老，管脚棖下安牙條，足裝銅套。

現藏故宫博物院。

漆五屏式山水扶手椅

清

高97.7厘米，座面長62、寬47厘米。

靠背與扶手共五屏連成一體，靠背中間高，依次遞減至扶手處最低。有束腰，直腿，馬蹄足。全身以黑漆描金裝飾，靠背及扶手立壁内側繪山水紋，外壁繪描金花鳥紋。

現藏北京市北海公園静心齋。

紫檀“海山仙館”銘扶手椅

清

高105厘米，座面長70、寬52.5厘米。

此椅造型誇張，搭腦作倒置式，與扶手同爲彎材，座面下四角施三彎腿，弧度較大。靠背板嵌“海山仙館”銘。

現藏廣東省博物館。

紫檀扇面形座面南官帽椅

清

通高94厘米，座面長60.5、寬56.6厘米。

椅面藤編軟屉。造型似于明式作風，然則裝飾風格有异。靠背板雕飾如意雲紋，牙條作壺門弧綫狀并飾“轉珠”紋，脚踏棖下施羅鍋棖式的牙條，中間下垂亦雕“轉珠”。

現藏美國中國古典家具博物館。

紅木南官帽椅

清

通高110厘米，座面長60、寬46厘米。

通體方材。搭腦作羅鍋棖式，靠背板、扶手、聯幫棍均弧曲。

現藏首都博物館。

黑漆嵌螺鈿圈椅

清

通高107厘米，座高54、寬64.5、深48.5厘米。

靠背板中部爲仕女園林小景，上爲雲紋花卉圖案，下部爲雲紋。座面下安壼門券口。

現藏故宮博物院。

紫檀有束腰帶托泥圈椅

清

通高99、座高49厘米，座面長63、寬50厘米。

靠背板用攢框做成，上段雕開光鏤空花紋，中段鑲癭木，下段鏤出雲紋亮脚，扶手出頭處和四足向内兜轉的馬蹄部分鏤捲草紋。

現藏故宫博物院。

黄花梨仿竹製玫瑰椅

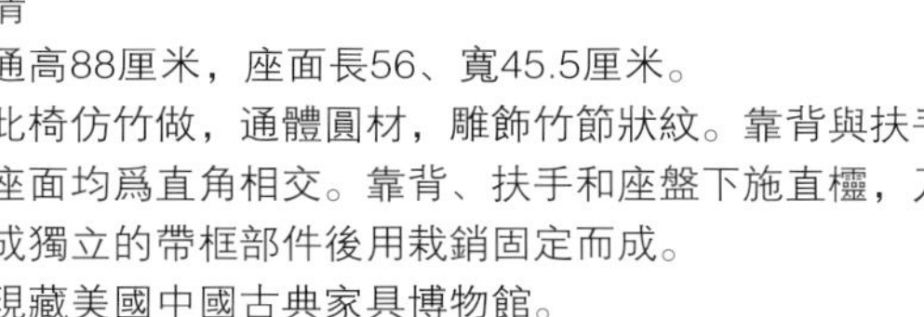

清

通高88厘米，座面長56、寬45.5厘米。

此椅仿竹做，通體圓材，雕飾竹節狀紋。靠背與扶手及座面均爲直角相交。靠背、扶手和座盤下施直欞，乃做成獨立的帶框部件後用栽銷固定而成。

現藏美國中國古典家具博物館。

鹿角椅

清

通高130、座高53厘米，椅面長91、寬75.5厘米。

此椅材質特殊，用八根鹿角製成，踏床用四支。黃花梨座面，外緣以牛角二條鑲成素混面，中間嵌象牙一條。座面兩側及後沿鑲骨雕勾雲紋牙子。靠背板正中刻乾隆壬辰（公元1772年）夏中瀚題詩一首，由詩意可知此椅係康熙時以獵物所製。

現藏故宮博物院。

黄花梨直後背交椅

清

通高105.5、座高54厘米，座面支平長55、寬36.5厘米。

座面軟屜絲編而成。靠背爲三屏風式，框内裝透雕螭紋絛環繫璧花牙。靠背乃另安，與座面横材藉銅箍相連結。

現藏故宮博物院。

黑漆金龍紋背交椅

清

通高105.5、座高58厘米，面徑支平長41、寬52.5厘米。

通體髹黑漆。椅背出頭處雕龍頭，靠背板正面高浮雕二龍戲珠，背面雕雲水五岳真形圖，椅圈及扶手下雕流雲。腿間透雕螭紋花牙，下有踏床。椅面爲絲繩編織而成。

現藏故宫博物院。

黄花梨躺椅

清

搭腦至地面高85.6厘米，座面長61、寬58.7厘米，脚凳拉出後全長146厘米。

此躺椅仿藤、竹製家具的造型和製造手法，搭腦仿于圓形竹條枕，靠背、座面和脚凳面鋪木條乃仿竹椅平鋪的竹板。椅圈似于明式圈椅。座面、脚凳面之下皆施羅鍋棖加矮老。脚凳的前牙條飾浮雕的抽象式如意紋。

現藏香港嘉木堂。

紫檀大寶座

清

通高117厘米，座面長129、寬80厘米。

圍子作五屏風式，框內鑲紫檀木板，雕飾山水紋。靠背上部正中雕蝠、磬紋，兩側雕相互呼應的雲龍紋。托腮較寬大，上雕周圈的蕉葉紋。座面平鋪厚紫檀板。

現藏首都博物館。

紫檀大寶座背面

紫檀七屏式大寶座床

清

寶座床束腰以上用紫檀，束腰以下選用的是與紫檀木相似的紫檀科木料。圍屏上浮雕雲紋，鑲嵌珐琅龍紋。

現藏北京市頤和園管理處。

紫檀嵌螺鈿雲龍紋寶座

清

寶座高66、長148、寬90厘米。圍子作五屏風式，各扇中間嵌出委角方形開光，開光内用螺鈿、玳瑁、染牙、壽山石等鑲嵌成雲龍和蝠、壽字圖案。鼓腿彭牙，皆嵌螺鈿飾夔體夔紋，足端内收落在托泥上。

現藏故宫博物院。

紫檀有束腰帶托泥鑲琺琅寶座

清

座面長約110厘米。

圍子作三屏風式，内鑲掐絲琺琅，滿布纏枝蓮紋，靠背正中飾典型的清式“福慶有餘”圖案，兩旁則爲鳳鳥銜枝紋。座面下牙子、腿足皆雕飾番蓮紋。

現藏北京市頤和園管理處。

紫檀嵌剔紅靠背寶座

清

通背高103厘米，座面長104、寬84.5厘米。

圍子作三屏風式，靠背、扶手内側皆嵌剔紅“靈仙祝壽”圖。座面髹漆并描金花卉圖案。高束腰内亦雕花紋，牙子、四足則雕飾回紋。足下有托泥，四角附小矮足。寶座前有一同料脚踏。

現藏故宫博物院。

黑漆描金有束腰帶托泥大寶座

清

座面長140厘米。

寶座碩大，呈橢圓形，有束腰，鼓腿彭牙。腿足向内大弧度兜轉。

現藏北京市頤和園管理處。

黄花梨嵌鷄翅木象牙山水屏風寶座

清

屏高172、寬212厘米，寶座高50、寬96、深69厘米。

黄花梨獨扇座屏風，邊框雕回紋并打窪兒起綫。屏座浮雕勾蓮、海水地和兩端的十字形雲紋足。脚踏和左右香几亦爲黄花梨材。屏心和寶座靠背心皆以天青色釉作地，鑲貼鷄翅木雕山石樹木及染牙、玉石、牙骨雕雲水、人物、樓閣圖。

現藏故宫博物院。

紫檀嵌玉小寶座

清

通高83厘米，座面長66、寬43厘米。
圍子作五屏風式，飾平行綫紋。靠背正中嵌玉雕團壽五，高束腰内雕刻仿古蕉葉紋。鼓腿彭牙，内翻馬蹄作捲書狀，兜轉顯著，下附托泥。
現藏河北省承德市避暑山莊。

紫檀有束腰鼓腿彭牙炕桌

清

高32厘米，桌面長88.4、寬40.5厘米。
桌面光素，有束腰，下施鼓腿彭牙。四面牙條上雕飾簡單花紋，乃與牙條一木連做而成。
現藏故宫博物院。

黃花梨有束腰鏤空牙條炕桌

清

高31.8厘米，桌面長99.5、寬67厘米。

桌面長方，有束腰，腿足直材，足端內翻。四面牙條正中鏤作兩個對抵的回紋，牙條與腿足相交處則安鏤空回紋角牙。

現藏故宮博物院。

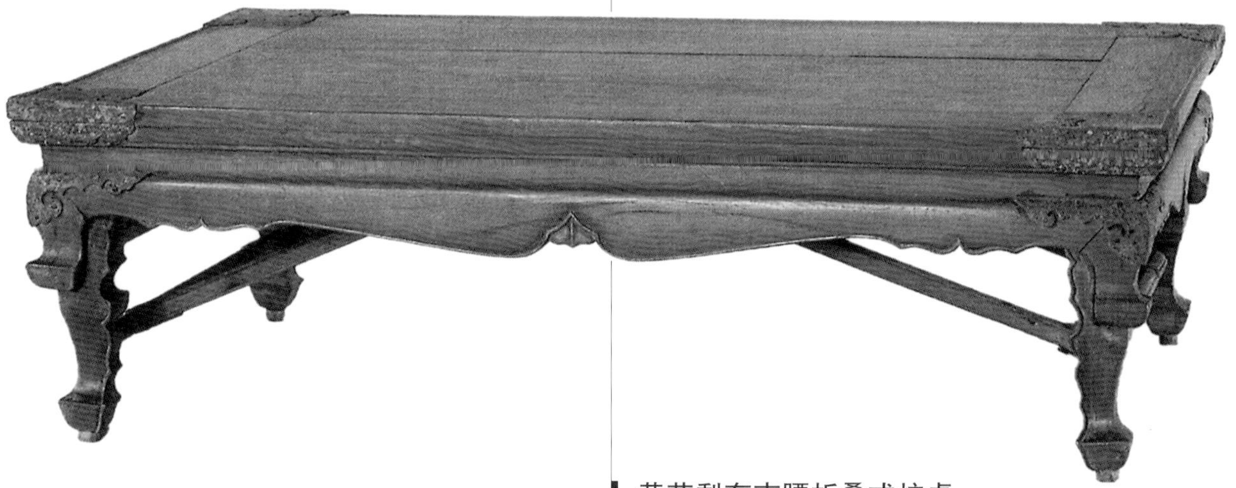

黃花梨有束腰折疊式炕桌

清

高25厘米，桌面長85、寬56厘米。

桌面長方，四角及肩部包鐵戧金飾件。腿足作外翻馬蹄狀。四足內側各安可支起或卧倒的活腿，并以棖子連接。棖子上安支竿二，再裝一横竿，在桌面下彼此交叉起支撑作用。

現藏故宮博物院。

紅木鑲大理石面高低炕桌

清

高31.3、長124、寬46厘米。

桌面分高低兩部分，造型獨特，分別鑲有大理石。其下各有兩條托帶與邊框榫接。束腰上雕拐子龍紋，托腮上浮雕蓮瓣紋，腿和牙板雕靈芝紋和龍紋。直腿，内翻馬蹄足。

現藏首都博物館。

戧金雲龍紋炕桌

清

高31、長118、寬84.3厘米。

桌面呈長方形，冰盤沿，束腰，外翻式馬蹄足，另配有活動桌面可裝可卸。通體髹黑漆，活長方形框内做菱花形開光，内戧劃一坐龍，周圍襯以海水及朵雲紋等。開光外四角，各戧劃一條行龍。框外四周又做長方條狀開光，内有雙龍戲珠圖案。戧紋内填以濃艷的金彩。束腰、足的邊緣貼金邊修飾。

現藏故宮博物院。

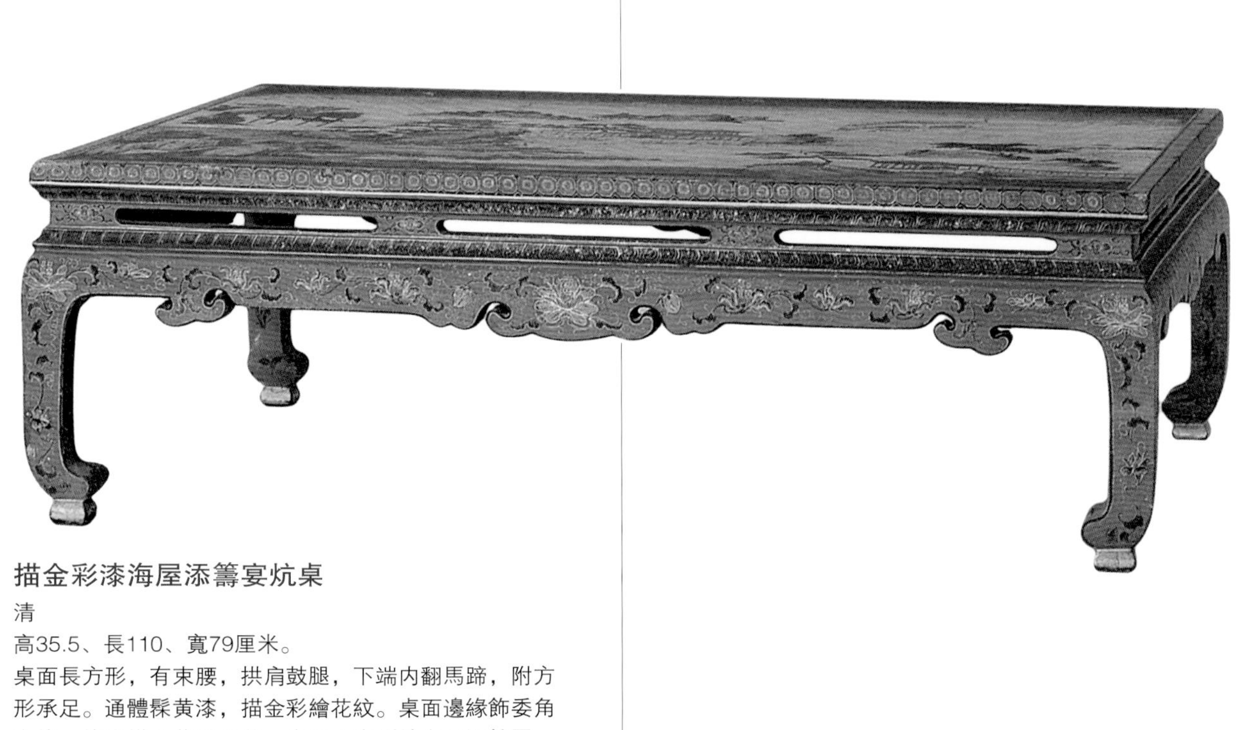

描金彩漆海屋添籌宴炕桌

清

高35.5、長110、寬79厘米。

桌面長方形，有束腰，拱肩鼓腿，下端内翻馬蹄，附方形承足。通體髹黄漆，描金彩繪花紋。桌面邊緣飾委角方格，格内描金菊瓣團花，桌面正中則繪海屋添籌圖，有大海仙山、樓閣寶瓶、翔鶴銜籌及松柏等紋。

現藏故宫博物院。

紫檀有束腰銅包角炕桌

清

高36.5、長73.5、寬37厘米。

几面邊抹光素，高束腰刻蕉葉紋，銅飾件包角，銅套足。

現藏故宫博物院。

黄花梨嵌螺鈿炕桌

清

高28、長91.5、寬60.5厘米。

案面以小塊黄花梨嵌冰綻紋，中部嵌紫檀分瓣團花，邊緣及案脚嵌紫檀開光，腿足正面用厚螺鈿嵌螭紋。

現藏故宫博物院。

黄花梨無束腰折叠式炕桌

清

高30厘米，桌面長89.5、寬58.5厘米。

桌面下四邊安牙條，以鐵戧金飾件包角，四角内裝活腿并以合頁連接。兩側腿間各施横棖，上層横棖中間裝鏤空鐵花板一條，有軸可開合。

現藏故宫博物院。

黄花梨螭紋長方几

清

高38.5厘米，几面長160、寬 46.5厘米。

由三塊厚板拼合而成，足底作捲書式。兩板足外側開光內浮雕螭紋，几面與几足的立面均雕飾拐子紋。

現藏故宫博物院。

剔犀雲紋長方几

清

高7、長30、寬15厘米。

桌面剔犀雲紋，兩脚作捲書式。

現藏瀋陽故宫博物院。

剔犀雲紋長方几

清

高27.5、桌面長67.8、寬35.6厘米。

桌面長方形，高束腰，腿足内翻。通體以剔犀工藝飾花紋。

現藏瀋陽故宫博物院。

描彩漆牡丹紋長方几

清

高12.3、長38.3、寬18.6厘米。

几面呈長方形。通體髹黑漆，并描赭色漆邊綫。几面長方形開光内施淡藍色漆地，繪深藍色流雲紋和灰白色折枝花卉紋。

現藏故宫博物院。

填彩漆花卉紋几

清

通高10.2厘米，几面長35.6、寬14.7厘米。

通體髹赭黄色漆，以朱、白、緑、黑等色漆填飾花紋。几面“卍”字錦紋上飾玉蘭花、月季花和蜻蜓圖案，并以細劃戧金勾勒花紋輪廓和脉絡。腿部飾葡萄、佛手、桃實等紋。托泥上飾雜寶紋。几面裏側中心有“大清康熙年製”刀刻戧金楷書横行款。

現藏故宫博物院。

黑漆描金海棠式几

清

高13.4、長27、寬20厘米。

几面作海棠式，三彎腿，下附隨形托泥。通體髹黑漆地，施彩金像描金花紋，并以朱漆描紋理。几面飾山水樹石及亭臺樓榭景色，托泥上飾描金折枝花卉紋。

現藏故宫博物院。

硬木弧形憑几

清

通高27厘米，几面弦長60、寬18厘米。

几面作委角弧形，几背有一條隨形橫穿帶，用以增强几面强度。板足上飾透雕俯仰桃形開光，内雕蝠紋，寓取“福壽”。

現藏北京私人處。

填彩漆雲龍雙環式香几

清

高50.5、長24.4厘米，寬23厘米。

几面作二圓相錯形。通體髹黄色漆地。几面填朱、藍色漆繪二龍戲珠紋，邊緣散布填彩花蝶，束腰部飾填彩八寶，拱肩以下及腿、托泥裏外均飾填彩花蝶紋。裏刻“大清康熙年製”楷書款。

現藏故宫博物院。

緗色地戧金細鈎填漆龍紋梅花式香几

清

高52、面徑25厘米。

几面戧金雕填青色正龍，彩色雲水，開光折枝花卉邊，束腰及牙子填漆并描繪八寶，開光折枝花卉，間以勾蓮球紋。蜻蜓式腿，足下有臺座。

現藏故宫博物院。

楠木包鑲竹絲香几

清

高71.3、几面邊長42.8厘米。

几由楠木製，除几面與托泥外，通體包鑲，不露胎骨。凡棱角處均嵌紫檀木條，束腰處包鑲竹皮嵌夔紋玉片。腿足、牙條皆包鑲紫檀輪廓，其内滿嵌竹絲。

現藏故宫博物院。

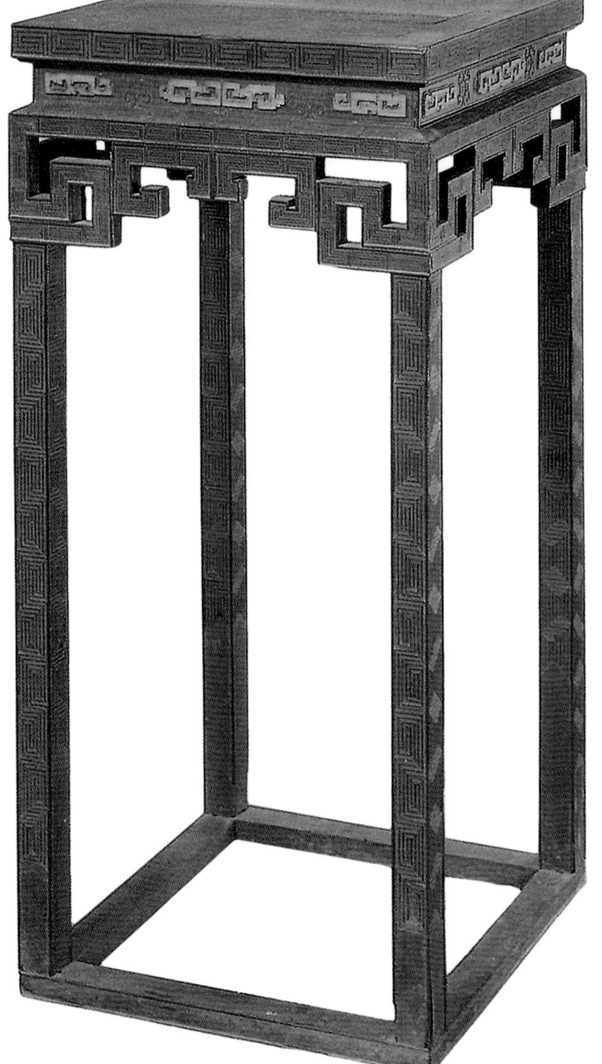

紫檀高束腰帶托泥方香几

清

高135、几面邊長52厘米。

素冰盤沿。高束腰内起地浮雕雲紋。牙條邊緣起陽綫，與腿足陽綫交圈，牙條下安透雕雲龍紋花牙。四足上格角與牙子相交，下端内翻回紋馬蹄，直落于隨形托泥上。

現藏北京市文物商店。

花梨石面五足圓花几

清

高95、面徑29.5厘米。

通體爲花梨木雙劈料仿竹製。几面由五段弧形木邊攢框，框内平鑲大理石，周圈起攔水綫。花几下部由一透雕夔體“五合如意”飾件與五足相聯。

現藏北京榮寶齋。

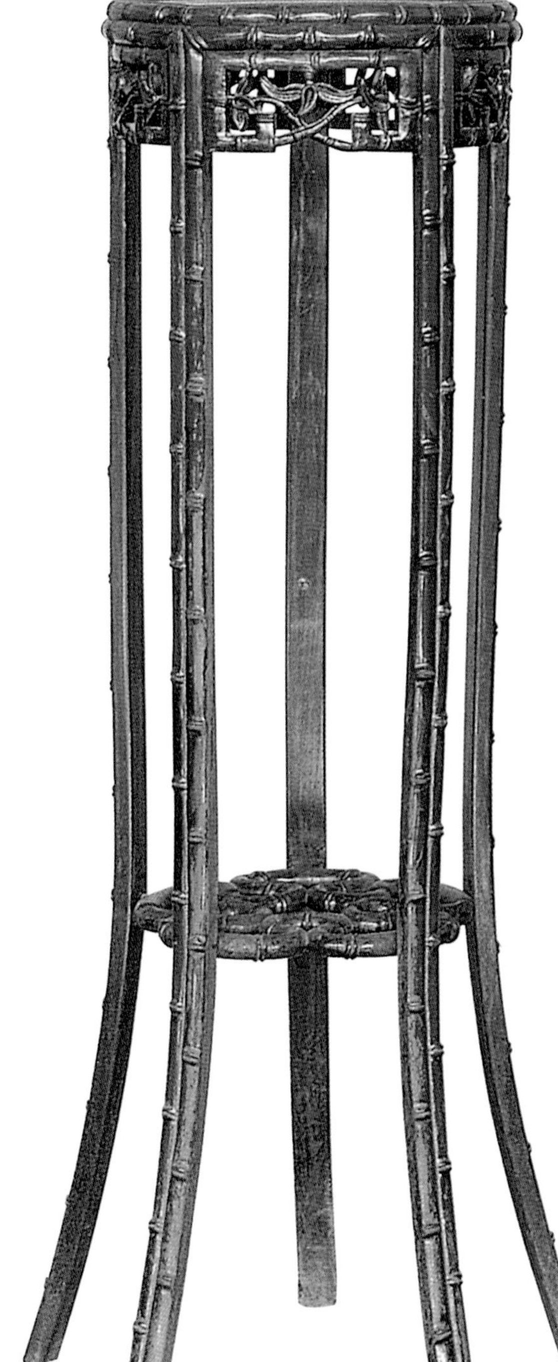

黃花梨霸王棖挖角牙方桌

清

高81.5、桌面邊長82.5厘米。

有束腰，直足內翻馬蹄。牙條與腿足相交處安鏤空的螭龍紋角牙，螭龍鈎喙圓目，長尾捲狀，作翹首回顧態。足內安霸王棖。

現藏故宫博物院。

黃花梨有束腰矮桌展腿式方桌

清

高86.5厘米，桌面長93.5、寬91.2厘米。

方桌上部作三彎腿外翻馬蹄矮桌式，下連圓直足。四面牙條皆浮雕花卉，羅鍋棖兩端借原本要去掉的木料透雕折枝梅花紋。足內安霸王棖。

現藏故宫博物院。

紫檀有束腰羅鍋棖加卡子花方桌

清

高89、桌面邊長95厘米。

桌面起冰盤沿綫脚。有束腰。牙條邊緣起陽綫，與腿足陽綫交圈，羅鍋棖亦有陽綫。四面牙條與羅鍋棖之間皆嵌飾卡子花。

現藏河北省承德市避暑山莊博物館。

紅木拐子紋條桌

清

高81.2、長145、寬46.5厘米。

案面攢框，鑲獨板面心，兩端抹頭攢拐子向下内捲。案面下有魚門洞的絛環板和横棖，雙框形腿，足部成拐子上捲。

現藏首都博物館。

紫檀一腿三牙條桌（上圖）

清

高82厘米，桌面長105、寬36.5厘米。

條桌造型將羅鍋棖加矮老及一腿三牙羅鍋棖兩種形式融合一體，皆以細圓材料構成。腿足側脚顯著。

現藏故宫博物院。

紅木滿雕雲龍紋大畫桌

清

高89、長172、寬78厘米。

桌面攢框開槽，平鑲桌面心。桌沿四面浮雕雲龍紋。有束腰，其上滿布雲蝠紋。牙板透雕二龍戲珠紋，牙板與三彎腿插肩榫相接，腿上雕雲龍紋。

現藏北京藝術博物館。

紅木無束腰裹腿直棖仰俯山欞格半桌

清

高82厘米，桌面長97、寬63厘米。

半桌係裹腿，皆圓材。邊抹與直棖之間裝仰俯山欞格，分飾五組和三組，對稱均衡。

現藏北京龍順成中式家具廠。

紫檀八屜書桌

清

高87.5厘米，桌面長220、寬89厘米。

書桌爲八屜式，裹腿。側面腿足間安繩紋順棖。桌面光素，餘地刻劉石庵、南沙老人、鄭板橋、湯貽汾等數十家清人書畫。

現藏故宮博物院。

紫檀漆面圓桌

清

通高84.5、面徑118.5厘米。

圓桌面心爲犀皮漆製，桌面下安透雕勾捲紋花牙。面下正中圓柱式獨腿，以六個花角牙和站牙承托桌面并抵住圓柱。圓柱上、下節交接處安軸，故可左右轉動。托泥亦隨形圓面式，下附雲頭狀小矮足。

現藏故宮博物院。

紅木獅紋半圓桌

清

高81.5、長118、寬58.5厘米。

桌面呈荷葉狀，邊框滿雕花卉紋，框内鑲大理石。束腰打窪，布八個魚門洞。正面束腰下有透雕雙獅綉球紋牙板。三彎腿，上部雕獅面紋，中部刻花卉紋，足部刻魚龍紋。

現藏北京藝術博物館。

紅木七巧桌

清

由七張高度一致，而大小、形狀皆不相同的高几拼合成型，七几隨意排列組合可成不同形狀的桌面。皆以紅木爲材，面上攢邊爲框，内鑲瘿木面心。腿足間安管脚棖，框内以短材攢接形狀不一的欞格。

現藏私人處。

鷄翅木鼎形供桌

清

高84厘米，桌面長167、寬43厘米。

供桌造型古樸，仿青銅方鼎，腿足則似于爵足，桌面下四角及中部、腿足均出戟耳。有束腰、腿足爲挖缺做。

現藏北京市文物商店。

紫檀夾頭榫炕案

清

高32.3厘米，案面長93、寬32厘米。

炕案爲標準的明式夾頭榫案形結構，雲紋牙頭亦屬常見，然裝飾手法較晚，牙頭式樣、沿邊起峭立陽綫及綫内鏟作下陷平地的做法均爲清時工藝。

現藏北京市頤和園管理處。

黑漆嵌螺鈿山水人物紋平頭案

清

高87.4厘米，案面長193.5、寬48厘米。

案面長方形，雲紋牙頭，鏤空雲紋擋板，足有托泥。通體黑漆地嵌螺鈿及金銀片，案面爲山水人物紋間以折枝花卉和金錢錦紋，牙條及腿足上飾折枝花卉。案背面刻“大清康熙辛未年製”楷書款。

現藏故宫博物院。

紫檀有托子平頭案

清

高89厘米，案面長192、寬41厘米。

案面由攢邊打槽裝板作，下用栽榫技法安八個近似三角形的夔體螭虎花牙。擋板中間有長方形開光，四周透雕首尾相接的雙象雙螭紋圖案。

現藏北京韵古齋。

黄花梨平頭案

清

高94厘米，案面長192.3、寬41.7厘米。

造型似于明式平頭案，然具體技法和雕飾紋樣皆不相同。牙條、牙頭均浮雕回紋圖案，擋板内安方形圈口并密飾回紋。腿足直落托子上，托子乃另安而成。

現藏故宫博物院。

紫檀透雕花牙平頭案

清

長176.5、寬70、高89.5厘米。

此案棖子分兩層，中間高，兩旁低，以寶瓶及短柱連接到一起。棖上空間全部透雕花牙。

現藏故宮博物院。

紫檀嵌沉香木平頭案

清

案面打槽，以數十塊長方形沉香木鑲拼爲心，冰盤沿，面下束腰，拱肩直腿，足端略向外翻。束腰雕蝙蝠紋和夔龍紋，其牙板、腿足均雕西番蓮紋和西洋捲草紋。

現藏北京市頤和園管理處。

欅木羅鍋棖加卡子花平頭案

清

高83厘米，案面長84.5、寬37.5厘米。

案的看面腿足間安羅鍋棖，上加兩朵雙套環卡子花。腿外吊頭之下用木條做出透空的牙頭。足下有托子，上安圓角的長方圈口。腿足間横棖之上另有開扁方形透光的絛環板。

現藏上海博物館。

黄花梨螭紋翹頭案

清

通高96.5厘米，案面長144.5、厘米。

案面長方，兩端翹出作捲書狀條與擋板分別浮雕、透雕螭案。

現藏故宮博物院。

紫檀蟠螭紋架几案

清

架几高82厘米，案面長323、寬45.2、厚6.5厘米。
兩几均由四面厚板兜合而成，上承托案面。架几的各側面皆爲透雕蟠螭紋。
現藏河北省承德市避暑山莊博物館。

杉木包鑲竹黄畫案

清

高65厘米，案面長194.2、寬82厘米。
畫案以杉木爲胎，通體包鑲竹黄。牙條爲透雕回紋式。腿足上端不與案面連接，而是承托牙條下部。腿足間横棖似于羅鍋棖。
現藏故宫博物院。

紅木捲書式小條案

清

高82厘米，案面長115.5、寬41.5厘米。

案面爲攢框做，分作三段鑲三塊大理石，兩端弧下内收呈捲書式。案面下爲盤腸式花牙。四腿則爲“如意擔子”式，腿足二横棖間安造型别致的圈口。

現藏北京榮寶齋。

紫漆描金羅漢床

清

通高89.5厘米，面長205、寬110.5厘米。

圍子爲列屏式，用攢框裝板心法做成。床面藤編軟屉，四足内翻馬蹄。通體髹黑漆地，漆色冷紫，并描金花紋。床圍板心飾山水、人物、樓閣圖，邊框飾回紋，床圍外側及背面爲折枝花卉圖案。牙條和腿足飾描金雲蝠紋和花卉紋。

現藏故宫博物院。

紫檀五屏風圍子羅漢床

清

圍子作五屏風式，各扇方形開光内飾山水、樓閣、花草圖。床身有束腰，彭牙條，變形三彎腿。腿足肩部雕作獸頭狀，足底則作獸爪狀。

現藏上海博物館。

紅木嵌石五屏式羅漢床

清

高135、長204、寬133厘米。

床圍欄爲五屏式，中間高，依次跌落。圍欄攢邊，鑲大理石，大理石四圍飾鏤空花紋。每屏間用扎榫相接。無束腰，四腿與邊抹直接榫接。抹邊下與足間是鏤雕的花牙。足外翻，刻捲雲紋。

現藏北京市北海公園静心齋。

酸枝木鑲螺鈿貴妃床

清

高106.5、長185.5、寬60.5厘米。

該床周身以螺鈿鑲嵌精美的人物、花草圖案。

現藏廣東省博物館。

紅木嵌螺鈿三屏式榻

清

高130、長157、寬56厘米。

圍欄攢框加棖間隔的三面圍子。壺門牙板與床面和直腿相連，榻上鑲嵌螺鈿組成的花鳥禽獸圖案。

現藏北京市北海公園静心齋。

紫檀大多寶格

清

長114、寬44.5、高222厘米。

多寶格分割成多個矩形陳設格層、抽屜和小櫃，布局合理。腿足不直接着地，而是與直羅鍋棖相交，形成封閉式框架。現藏北京炎黃藝術館。

紫檀包鑲多寶格

清

高194.5、長96、寬40.5厘米。

多寶格分爲三部分，上部爲多寶格，中部有兩個抽屜，下部爲兩扇對開門。所有板面都用黑漆髹飾，并在其上用金彩繪山水紋和花鳥紋。

現藏北京藝術博物館。

紫檀仿竹節雕鳥紋多寶格

清

通體以紫檀爲材，邊框皆仿竹節製，邊角包鑲金屬飾件。上部高低錯落出大小不一的格層，裝飾花紋也各不相同，有雲鶴圖、鳥戲竹林圖、折枝花卉圖等，腿足似于三彎腿式，矮碩粗壯，足端外翻馬蹄落在托泥上。

現藏上海博物館。

紫檀多寶格

清

高123.5、長70、寬30厘米。

以紫檀爲骨架，攢邊做，分隔出高低錯落的格層。花牙圈口皆爲彩漆裹并黑漆描金花紋。多寶格下原有紫檀彩漆雙抽屜座，後遺失。

現藏河北省承德市避暑山莊博物館。

紫檀大四件櫃

清

高370、長218、寬80.5厘米。

頂箱兩扇門面和側山各浮雕降龍一條，櫃膛上的兩扇門各浮雕海水江牙和戲珠游龍三條，兩側山各浮雕升龍一條，櫃膛面則浮雕龍紋一條。足端有銅包角，金屬飾件皆鏨花鎏金。

現藏故宮博物院。

黄花梨百寶嵌大四件櫃

清

通高279厘米，面長187.5、寬72.5厘米。櫃爲四面平式，櫃門兩旁有餘塞板，并用活銷與櫃連接，可裝卸。正面以各色葉蠟石和螺鈿嵌飾人物和獅象怪獸圖案。

現藏故宫博物院。

紅木方角小四件櫃

清

通高180、長89、寬38.7厘米。

由上部的扁長頂箱與立櫃以栽銷榫接合而成。櫃子正面通體起地浮雕花紋，櫃門以蝠、磬、雙魚爲主體，寓取“福慶有餘”，餘地飾拐子龍紋。金屬飾件皆鏨拐子龍紋并鎏金。

現藏北京市文物商店。

紫檀方角小四件炕櫃

清

通高122.5、長103、寬41厘米。

通體雕飾花紋，皆以朵雲紋爲地。頂箱門上雕寶瓶、寶傘、白蓋、法螺、金魚、盤腸、蓮花、法輪“八寶”紋，櫃門則雕暗八仙紋，側山雕蝠、磬和拐子紋。足端原有金屬包角。櫃内設抽屉，有暗倉。

現藏故宫博物院。

剔紅嵌玉嬰戲小櫃

清

高41.5厘米。

通體朱漆雕成，下襯深緑色和赭色錦紋及黑漆雕樹木紋樣。櫃門和兩側面均嵌玉童子于花園中游樂之景，底座飾雲蝠紋。櫃内五屜，髹棕色退光漆，屜外皆有乾隆御題詩。

現藏加拿大皇家安大略博物館。

貼黃提梁小櫃

清

高30.4、長26.9、寬13.3厘米。

櫃體似“一封書”式方角櫃，上加平列蓮瓣紋斜坡。櫃門邊框、門心、底棖及櫃内屜面皆鏤貼花紋。櫃頂安銅提梁，門上面葉、吊牌、合頁等銅飾件皆鏨花鎏金。

現藏故宮博物院。

黃花梨百寶嵌高面盆架

清

高201.5、徑71厘米。

盆架搭腦兩端嵌裝灰玉質龍頭。通體嵌白色有光厚螺鈿製成的螭紋。中牌子用牙、角、緑松石、壽山石、瑪瑙及金、銀等多種材料嵌飾職貢圖。

現藏故宫博物院。

紫檀雕花鑲玻璃桌燈

清

高約60厘米。

此燈可視爲典型的清式桌燈，中西風格融匯製成。通體紫檀爲材，雕飾精美。燈體内鑲玻璃并繪龍鳳雙喜圖。

現藏故宫博物院。

雕花木書架

清

長62、寬18.5厘米。

此書架設計巧妙，可打開，可折合。

現藏新疆維吾爾自治區博物館。

紅木升降式燈臺（右圖）

清

高125、長33.4、寬35.5厘米。

燈臺底座爲座屏式，兩塊近似“凸”形的横墩之間安壼門披水牙子，横墩中間各植立柱，均由兩站牙抵夾。兩根立柱之間由横材隔成三段，上下分别裝透雕和浮雕的絛環板。燈盤作柿蒂形，由四塊倒挂透雕花牙承托。兩立柱内側中段有槽，燈杆下端横木出榫，可在槽内滑動，作三級升降。

現藏私人處。

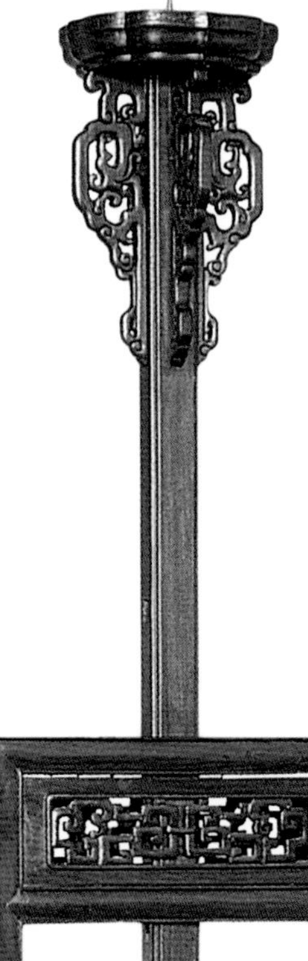

紫檀框繪綫法畫美人亭榭景圍屏

清

高128.5、通長326厘米。

圍屏皆以紫檀作框，有八扇屏風，扇與扇之間由合頁聯結。腿足間嵌鏤空拐子式亮脚，有的已殘缺，足底鑲鏨花銅包角。圍屏一面爲綫法繪油畫仕女圖，另一面爲康熙帝臨董其昌行草書《洛神賦》。

現藏故宫博物院。

紫檀雕雲龍紋嵌玉石座屏風

清

屏風作五扇式，裝飾富麗豪華。正面上、下部高浮雕雲龍紋，中部鑲絲環板并髹漆地，上嵌各色玉石花鳥圖案，畫面艷麗生動。背面雕地滚雲，描金彩繪山石和松、竹、梅“歲寒三友”圖。屏風下部有底座承托，雕飾亦細密繁縟。

現藏上海博物館。

剔紅祝壽圖圍屏風

清

圍屏有六扇屏風，通體剔紅花紋。正面上部圓形開光内飾折枝花卉圖案。中部飾大幅的通景式樓閣、人物、庭院、樹石，當爲祝壽圖。下部四出委角形開光内飾樹石動物圖。腿足端處有銅包角。

現藏上海博物館。

紫檀框大挂屏

清

高約135厘米。

屏框爲紫檀木製，作委角長方形，壓雙邊綫，以鏟地浮雕法雕飾仿古螭紋。框内嵌鑲整板爲屏心，掃青地上鑲金葉錘成的月桂山石圖，屏心左上角有李侍堯楷書乾隆《御製咏桂》詞。

現藏故宫博物院。

年 表

（紅色字體爲本卷涉及時代）

新石器時代（公元前8000年—公元前2000年）

- 河姆渡文化（公元前5000年—公元前4000年）
- 良渚文化（公元前3300—公元前2100年）
- 龍山文化（公元前2600年—公元前2000年）
- 陶寺文化（公元前2500年—公元前1900年）

夏（公元前21世紀－公元前16世紀）

商（公元前16世紀—公元前11世紀）

西周（公元前11世紀—公元前771年）

春秋（公元前770年—公元前476年）

戰國（公元前475年—公元前221年）

秦（公元前221年—公元前207年）

漢（公元前206年—公元220年）

- 西漢（公元前206年—公元8年）
- 新（公元9年－公元23年）
- 東漢（公元25年—公元220年）

三國（公元220年—公元265年）

- 魏（公元220年－公元265年）
- 蜀（公元221年－公元263年）
- 吴（公元222年—公元280年）

西晋（公元265年—公元316年）

十六國（公元304年－公元439年）

東晋（公元317年—公元420年）

北朝（公元386年—公元581年）

- 北魏（公元386年—公元534年）
- 東魏（公元534年－公元550年）
- 西魏（公元535年－公元556年）
- 北齊（公元550年－公元577年）
- 北周（公元557年－公元581年）

南朝（公元420年－公元589年）

- 宋（公元420年－公元479年）
- 齊（公元479年－公元502年）
- 梁（公元502年－公元557年）
- 陳（公元557年－公元589年）

隋（公元581年－公元618年）

唐（公元618年—公元907年）

五代十國（公元907年—公元960年）

遼（公元916年—公元1125年）

宋（公元960年—公元1279年）

- 北宋（公元960年—公元1127年）
- 南宋（公元1127年—公元1279年）

西夏（公元1038年—公元1227年）

金（公元1115年—公元1234年）

元（公元1271年—公元1368年）

明（公元1368年—公元1644年）

清（公元1644年—公元1911年）